SpurenLesen

Arbeitsheft für Schülerinnen und Schüler für die 9./10. Klasse

Calwer Verlag
Stuttgart

Ernst Klett Schulbuchverlag
Leipzig Stuttgart Düsseldorf

SpurenLesen
Arbeitsheft für Schülerinnen und Schüler für die 9./10. Klasse

von
Irene Berkenbusch, Gerhard Büttner, Veit-Jakobus Dieterich,
Hans-Jürgen Herrmann und Eckhart Marggraf

unter Mitarbeit von
Karin Borck, Walter Dietz, Stefanie Karweick, Ilas Körner-Wellershaus, Thomas Niederberger,
Andreas Obenauer, Hanna Rosse

Abbildungen Cover: Portugal (Algarve), Till Leeser, Agentur Bilderberg; Max Ernst: Vox Angelica, 1943, © VG Bild-Kunst Bonn 2000.

Gedruckt auf Papier aus
chlorfrei gebleichtem Zellstoff,
säurefrei.

Dieses Werk folgt der reformierten Rechtschreibung und Zeichensetzung. Ausnahmen bilden Texte, bei denen künstlerische, philologische und lizenzrechtliche Gründe einer Änderung entgegenstehen.

1. Auflage A 1 6 5 4 3 2 | 2004 2003 2002 2001 2000

Alle Drucke dieser Auflage können im Unterricht nebeneinander benutzt werden,
sie sind untereinander unverändert. Die letzte Zahl bezeichnet das Jahr dieses Druckes.

Internetadresse: http://www.klett-verlag.de

Redaktion: Silke Wollinger-Helwig

Umschlagentwurf: Patrizia Zannini
Druck: Druckhaus Vogel GmbH, Leinfelden-Echterdingen

ISBN 3-7668-**3678**-1 (Calwer)
ISBN 3-12-**174332**-0 (Klett)

Inhaltsverzeichnis

Um dir die Verbindungen zwischen Schülerband (SB) und Arbeitsheft und die Orientierung im Arbeitsheft so einfach wie möglich zu machen, haben wir ein „Leitsystem" entwickelt, das folgende Symbole verwendet:

- Der „Kompass" steht am Anfang jedes Kapitels in deinem *SpurenLesen*-Arbeitsheft. Er weist dir den Weg durch das Kapitel, indem er dir sagt, was dich erwartet und wie du es dir am besten erarbeitest.
- ➤ Hier werden weitere Aspekte des Themas aufgeführt.
- ➸ Auf diese Seite in deinem *SpurenLesen*-Buch bezieht sich die Aufgabe.
- Neben der „Glühbirne" findest du eine Reihe von Fragen. Die Antworten findest du in deinem *SpurenLesen*-Buch und hier im Arbeitsheft, wenn du dieses Kapitel durcharbeitest. Anhand der Fragen kannst du am Schluss kontrollieren, was du gelernt hast.
- ☑ Die Arbeitsaufträge und Anregungen neben diesem Zeichen helfen dir, ein bestimmtes Bild oder einen Text in deinem *SpurenLesen*-Buch zu erschließen.
- 🕮 Hier gibt es nützliche Zusatzinfos.

Viel Spaß beim *SpurenLesen*!

Zeit-Los

Haben wir mit unserem Leben das große Los gezogen? Oder sind wir die Zeit los, zerrinnt sie uns zwischen den Fingern? Können wir den Augenblick genießen, die Zeit vergessen, in die Zeitlosigkeit eintauchen?
Mit unserem Umgang mit der Zeit beschäftigt sich dieses Kapitel, und damit zusammenhängend: mit dem Umgang mit unserem Leben, mit uns selbst.

- Ein Blick auf unsere Wünsche, Ängste und Hoffnungen kann aufdecken, dass noch längst nicht alles klar ist in unserem Leben, zu unserem Leidwesen, vielleicht auch zu unserem Glück (➽ SB S. 6 f.).
- Schnelligkeit kann Leben retten, doch sie führt auch in den Tod (➽ SB S. 8 f.); die Langsamen werden verlacht, doch vielleicht entdecken gerade sie das Wichtigste (➽ SB S. 10 f.). Das Wichtigste im Leben – die Gegenwart, der Augenblick, das Jetzt (➽ SB S. 12 f.)?
- Eine verpatzte Gelegenheit – wie damit fertig werden (➽ SB S. 14 f.)?
- Etwas Sinnvolles tun – und auch Ausspannen, Faulenzen, Nichts-Tun (➽ SB S. 16 f.). Arbeitslosigkeit, Lehrstellenmangel, nicht nur ein Problem der Erwachsenen, sondern schon der Jugendlichen (➽ SB S. 18 f.). Und dann der Arbeitsanfang, wenn man einen Ausbildungsplatz gefunden hat (➽ SB S. 20).

Viele der Texte erzählen Lebensgeschichten: die des Polarforschers John Franklin, des Fußballers Gareth Southgate, des Zivildienstleistenden Boris Harbaum, des Handlungsreisenden Willy Loman, der Auszubildenden Dorle. Hinter diesen Erzählungen stehen Erlebnisse von Menschen ... Andere Texte wollen dich zum Nachdenken, zum Meditieren anregen, ebenso wie die Bilder, in denen sich Kalender und Uhren finden.

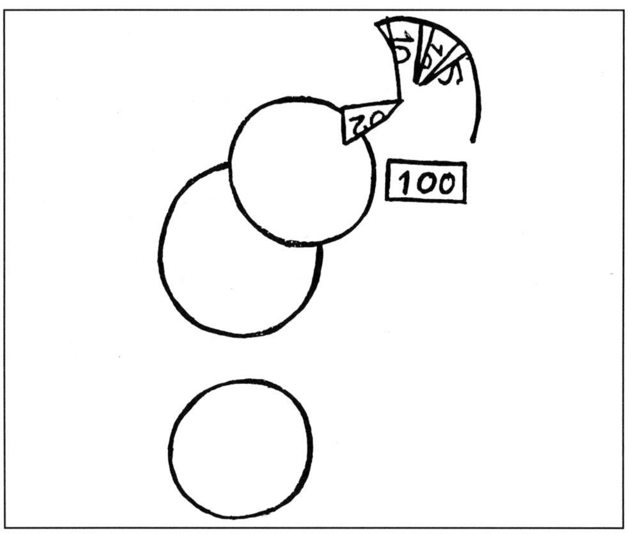

1. Die Bilder und manche Texte lassen sich einfach meditieren; du kannst auch eigene „Uhren"-Bilder (Collagen o. ä.) herstellen, z. B. indem du die nebenstehende Skizze vervollständigst.

2. Zu den „Lebensgeschichten" lassen sich Lebenslinien oder Lebenskurven zeichnen, die sich untereinander oder mit den eigenen Erfahrungen vergleichen lassen (Höhepunkte, Tiefpunkte, Bewältigung von Krisen ...).

3. Ihr könnt euren eigenen Umgang mit der Zeit erkunden: Einen Tagesablauf / Wochenplan erstellen: a) Wirklichkeit; b) Traum; c) Wo kann ich die Realität verändern?

Anhand der abgebildeten „Uhren" könnt ihr die unterschiedlichen Zeitabläufe in Natur und Kultur vergleichen; die Zeituhren mit Zahlen versehen; um die Uhr zum 20. bzw. 21. Jahrhundert ergänzen; am „Rad der Geschichte" drehen und die Folgen abschätzen ...

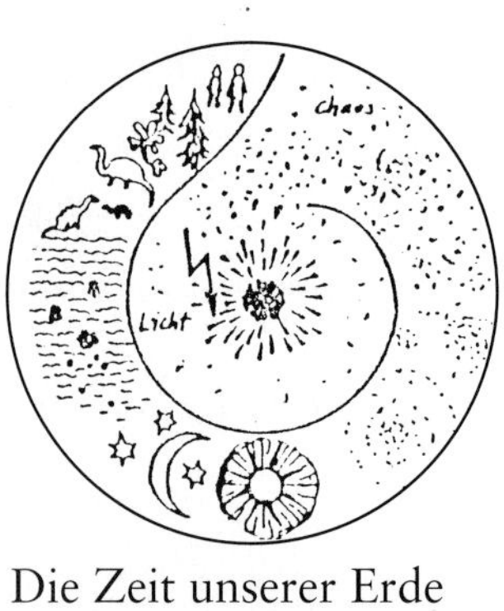
Die Zeit unserer Erde

Die Zeit der Geschichte

Die Zeit des Lebens

Die Jahreszeiten

Ich bin 'n Dollar die Stunde wert … (SB S. 18/19)

☑ Zu dem (auch verfilmten) Drama „Tod eines Handlungsreisenden" von Arthur Miller (➽ SB S. 18 f.) könnt ihr in Gruppen eine kleine Szene vorbereiten.

Jede Person stellt eine Person in der „Ich"-Form vor (Willy/Linda/Happy/Biff/Onkel Ben):

1. Ich bin …
2. Wie es mir bisher im Leben erging.
3. Wovon ich träume.
4. a) Wie es mir jetzt im Leben – äußerlich – geht.
   b) Wie ich mich – innerlich – fühle.
5. Was ich für Beziehungen zu (Verwandten/anderen Menschen) habe …
6. Was meiner Meinung nach im Leben wichtig ist.
7. Was meiner Meinung nach Arbeit bzw. Arbeitslosigkeit für einen Menschen bedeutet.

Verwendet zur Vorstellung auch die Szenenfotos (vergrößern!).

Szenenbilder aus: Tod eines Handlungsreisenden (Verfilmung mit Dustin Hoffmann) © Cinetext, Frankfurt

Du hast mir das Herz genommen

Verliebtsein kann uns auf Wolke Sieben schweben lassen – Verliebtsein kann uns ganz tief nach unten ziehen. Das Kapitel „Du hast mir das Herz genommen“ will die vielen Seiten der Liebe zur Sprache bringen. Wie werden wir ein Paar? Was ist schon „normal“? Warum tust du mir weh? Wir wollen für immer zusammen bleiben! Es wird dir sicherlich nicht schwerfallen, die Liste zu verlängern.

Wie schön ist deine Liebe (SB S. 21)

Das biblische Hohelied ist eine Sammlung von Liebesliedern. In acht Kapiteln besingen ein Mann und eine Frau ihre Liebe. Schlag es mal auf! Die Lektüre des Liedes kann dich durch das ganze Kapitel begleiten. Sie wird dich in eine fremde Welt entführen, denn die Sprache der Lieder ist reich an Bildern und unterscheidet sich enorm von der unseren.

Das Herz ist ein Symbol für die Liebe – quer durch die meisten Kulturen und Nationen. Zeichne ein großes Herz und schreibe hinein, was dich schon einmal an jemandem „betört“ hat. Du kannst dich dabei von den Zeilen aus dem Hohenlied anregen lassen.

Ich beschwöre euch (SB S. 22/23)

Wie einen Rausch beschreibt Helens Freund das gemeinsame Erleben von Zärtlichkeiten. Er genießt jedes Detail – den Raum, kleine Gesten, allem kommt Bedeutung zu. Er scheint zu schweben.

1. Überrascht dich der Schluss?
2. Wie verstehst du die Veränderung, von der im letzten Teil des Textes die Rede ist? Wird sie Konsequenzen haben? Wenn ja, wie könnte sich das Leben des Jungen verändern?
3. Entwirf eine kurze Fortsetzung der Geschichte.

Wie passt das Gemälde von Elvira Bach zu der Geschichte?
Welchen Titel würdest du ihm geben?

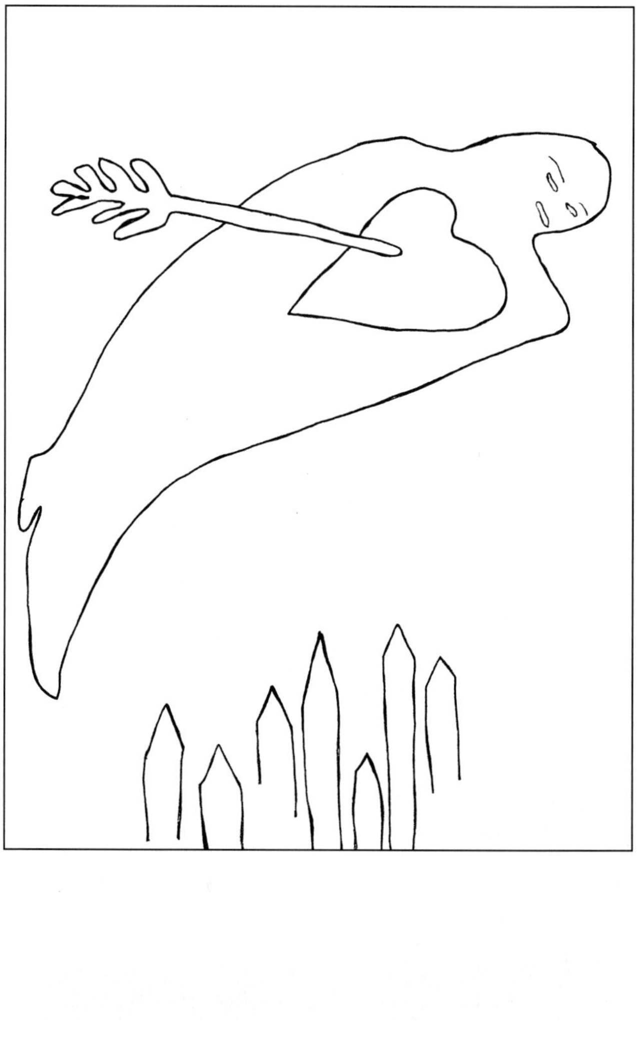

Wundersamer als Frauenliebe (SB S. 24/25)

Was aus dem Rahmen gesellschaftlicher Normen fällt, wird begutachtet, irritiert, verunsichert. Ein altes Liebespaar. Behinderte, die ein Kind haben wollen. Ein lesbisches oder schwules Paar. das um Gottes Segen für seine Beziehung bittet. Die Liste lässt sich verlängern.

☑ 1. Warum hat sich der „Verdacht" im Kopf des Jugendlichen festgesetzt?
2. Beschreibe das Foto von Sturges. Welche Gefühle löst es bei dir aus?
3. Was denkt der oder die Jugendliche?

Ich will nicht mehr (SB S. 26–29 oben)

Vielleicht hast du es selbst auch schon erlebt: Plötzlich ist die Liebe vorbei. Erst nur ein kleiner Misston, dann geht nichts mehr. So unterschiedlich sind die Gründe, warum es keine gemeinsame Zukunft mehr gibt. Die beiden Texte von Irina Korschunow und Jostein Gaarder zeigen zwei solche unterschiedlichen, schmerzhaften Entwicklungen.

☑ Male oder schreibe ein *Schmerzbild* oder einen *Schmerztext.* Gestalte dazu die Umrisse des Gemäldes von Dalí neu mit Text oder Farben. Such dir dazu eine Partnerin/einen Partner und sammelt gemeinsam:
- Gründe, die eine Liebesbeziehung unmöglich erscheinen lassen und
- Gefühle, die durch eine Trennung ausgelöst werden und die ihr mit Farben und Motiven illustrieren könnt.

ICH

WILL

NICHT

MEHR

WARUM

LIEBST

DU

MICH

NICHT?

Liebe ist stark wie der Tod (SB S. 29/30)

Manchmal gibt es sie ja doch: die ganz große Liebe, die auch bleibt. Aber wie wird es dann? Wollen wir heiraten? Wie gestalten wir unser kleines Paradies – inmitten der Gesellschaft? Ist die Ehe ein Korsett, in dem unsere Leidenschaft ersticken wird oder kann sie ein hilfreicher Rahmen für uns sein?

☑ Skizziere zwei Märchen von der großen Liebe. Beide sollen ein glückliches Ende haben. Die Voraussetzungen sind aber unterschiedlich:
- Paar 1 beschreibst du in Anlehnung an den Text von Walter Trobisch
- Paar 2 ist das Paar auf dem Bild von Chagall.

Zum Schluss:
Lies nochmal die Überschriften des Kapitels und schreib dir selbst einen Brief. Du wirst ihn in zehn Jahren öffnen. Vielleicht hast du dann eine Freundin oder einen Freund, vielleicht bist du verheiratet oder hast dich gerade von einem Menschen getrennt, der dir wichtig war. Oder du hast dir vorgenommen vorerst Single zu bleiben. Schreib dir in deinem Brief an dich all das, was du auf keinen Fall vergessen willst. Was bedeutet es befreundet oder verliebt zu sein? Wie kann man mit unterschiedlichen Vorstellungen in einer Freundschaft oder Liebesbeziehung umgehen? Welche Hinweise geben biblische Geschichten?

Entschuldigung

In dem Kapitel „Entschuldigung" geht es um das Thema Schuld und Vergebung. Du sollst in dieser Unterrichtseinheit darüber nachdenken, warum Menschen schuldig werden, welchen Sinn Strafen haben und wie Schuld vergeben werden kann.

➢ Der Text (➻ SB S. 31) erzählt von einer Jugendlichen, die einen großen Fehler begangen hat. Das Bild kann dir helfen die Gefühle eines Menschen zu beschreiben, der solch einen Fehler begangen hat.

➢ Auf den beiden folgenden Seiten (➻ SB S. 32–33) geht es darum, warum Menschen schuldig werden: Der Text von William Golding erzählt von einer Gruppe von Schülern, die ein schreckliches Verbrechen begeht. Er gibt zugleich eine Erklärung, wie dieses Verbrechen möglich wurde. Das Bild von Max Ernst heißt „Der Hausengel". Es lädt zum Nachdenken ein: Ist der Mensch von Natur aus gut – oder eher ein Monster?

➢ Die Kriminalgeschichte (➻ SB S. 34–35) soll dich dazu anregen über den Sinn von Strafen nachzudenken und dir eine eigene Meinung zu diesem Thema zu bilden.

➢ Die letzten sechs Seiten des Kapitels (➻ SB S. 36–41) handeln von der Vergebung: Das Bild auf Seite 36-37 stellt verschiedene Szenen aus der Bibel dar, die über die Schuld von Menschen und über Gottes Vergebung berichten. Die Erzählung auf ➻ Seite 38–39 handelt von fünf Jungen, die einen schweren Fehler begangen haben. Vier von ihnen wird verziehen, einem nicht. Das Bild „Christus und die Sünderin" von Max Beckmann (➻ SB S. 39) stellt eine biblische Vergebungsgeschichte dar, die du in Johannes 8,1–11 nachlesen kannst.

➢ Das Bild von Keith Haring auf ➻ Seite 41 schließlich zeigt, wie schön es sein kann, wenn Menschen einander verzeihen können. Aber manchmal ist das sehr schwer. Das merkst du, wenn du das Lied „Schrei nach Liebe" von den „Ärzten" anhörst und den Songtext (➻ SB S. 40) liest. Kann man einem Skinhead, wie ihn „Die Ärzte" beschreiben, verzeihen? Soll man das überhaupt? Und wenn ja – was wäre die Voraussetzung dafür?

Am Ende der Unterrichtseinheit solltest du :

1. erklären können warum Menschen schuldig werden.
2. eine begründete eigene Meinung haben zu der Frage: Welchen Sinn haben Strafen?
3. beschreiben können, was die Bibel über Schuld und Vergebung sagt.
4. die Geschichte von Jesus und der Ehebrecherin (Johannes 8,1–11) nacherzählen können.
5. in einem Beispiel erklären können, was geschehen muss, damit Menschen einander vergeben können.

Es gibt einen, der mich trotzdem mag (SB S. 36/37)

Kein Mensch ist fehlerlos. Jeder macht manchmal Dinge, von denen er hinterher denkt: Warum habe ich das nur getan? Schuldig werden – das ist eine Grunderfahrung von uns Menschen. In der Bibel gibt es viele Texte, die sich mit diesem Problem beschäftigen: Warum werden Menschen schuldig? Und wie sollen sie mit ihrer Schuld umgehen? Der Maler Lucas Cranach hat in seinem Bild mehrere wichtige Bibeltexte zum Thema Schuld und Vergebung verarbeitet. Wenn ihr das Bild verstehen wollt, müsst ihr zunächst die dargestellten Geschichten in der Bibel nachlesen.

☑ 1. Tut euch in Gruppen zusammen und lest folgende Bibeltexte: 1 Mose 3,1–24; 4 Mose 21,4–9; Matthäus 27,45–55; Matthäus 28,1–10; Lukas 1,26–38; Lukas 2,8–14; Apostelgeschichte 1,4–11.
2. Versucht nun die gelesenen Bibeltexte den einzelnen Szenen im Bild zuzuordnen! Beschreibt jeweils kurz die Szene, die zu den Bibelstellen gehört:

1 Mose 3,1–24: ______________________________

4 Mose 21,4–9: ______________________________

Matthäus 27,45–55: ______________________________

Matthäus 28,1–10: ______________________________

Lukas 1,26-38: ______________________________

Lukas 2,8–14: ______________________________

Apostelgeschichte 1,4–11: ______________________________

☑ Das Bild von Lucas Cranach erzählt davon, wie die Menschen schuldig geworden sind und wie Gott ihnen vergibt. Wie sind die Menschen nach der Bibel schuldig geworden? Und wie genau hat Gott ihnen geholfen? Die folgenden acht Sätze geben die Antwort! Bringt sie in die richtige Reihenfolge und nummeriert sie entsprechend!

Deshalb hätten sie eigentlich Strafe verdient.	Er besiegt den Tod.
So vergibt Gott den Menschen ihre Schuld. Nun können sie befreit leben.	Gott müsste eigentlich wütend auf sie sein.
Gottes Gebote beweisen: Die Menschen wissen, was gut ist, aber sie tun es nicht.	Er nimmt am Kreuz alle Schuld auf sich.
Aber Gott will den Menschen vergeben. Deshalb wird Jesus geboren.	Seit Adam und Eva sind alle Menschen schuldig.

☑ 1. Sucht nun noch eine Überschrift für die linke Bildhälfte und eine für die rechte Bildhälfte! Dann könnt ihr euch mit den anderen Gruppen über eure Ergebnisse austauschen.
2. Lest euch zum Schluss das Gebet auf der nächsten Seite durch (jeder/jede für sich!). Nehmt euch etwas Zeit um darüber nachzudenken. (Vielleicht hat jemand von euch ruhige Musik dabei, die ihr im Hintergrund laufen lassen könnt.) Kennst du ähnliche Situationen wie die, die im Gebet beschrieben werden? Hast du etwas Ähnliches schon selbst erlebt? Dann kannst du vielleicht selbst ein Gebet formulieren und in dein Heft schreiben.

Gut, dass es einen gibt,
der mich trotzdem mag.

Auch dann,
wenn ich mal wieder
alles falsch gemacht habe:

Krach mit den Eltern,
die ich doch eigentlich mag.

Ärger mit der besten Freundin,
weil ich sie vor allen
lächerlich gemacht habe.

Schon wieder nur Stress in der Schule –
obwohl ich es dieses Schuljahr wirklich
gut machen wollte ...

Gut, dass es einen gibt,
der mich trotzdem mag.

Gut, dass es einen gibt,
bei dem ich neu anfangen kann.

Immer wieder.
Gut, dass es dich gibt, Gott.
Hilf mir neu anzufangen!

Mein Gebet:

Versöhnung praktisch (SB S. 41)

Das Bild von Keith Haring zeigt, wie schön es sein kann, wenn zwei Menschen sich nach einem Streit wieder versöhnen. Bestimmt fällt dir zu diesem Bild eine gute Versöhnungsgeschichte ein!

☑ Zeichne in die Kästchen einen Comic zu deiner Geschichte. Das Bild von Keith Haring ist das letzte Bild in deinem Comic.

Kirche als Internet

Der Titel ist zunächst wörtlich gemeint: Die Kirche ist im Netz. Davon erzählt die erste Geschichte und bringt allerlei Themen ins Spiel: Eine Testfrage an Jesus wegen seines T-Shirts, eine Einladung in eine christlichen Jugendgruppe, Kritik an der Kirche, Erlebnisse im Gottesdienst u. a. m. Ganz nebenbei wird mit den E-mails auch das Thema „Brief" und „Botschaft" angesprochen.

- Briefe begründen und begleiten die Kirche schon immer. Vom Paulusbrief über die „Lettres de Taize" bis zum Gemeindebrief. Melanchthon schrieb allein 10.000 Briefe an die evangelischen Gemeinden der Reformation. Die Briefe Dietrich Bonhoeffers, die er aus dem Gefängnis schrieb, sind für die heutige Kirche maßgebend.
- Dass Briefe in der Kirche wichtig sind, sagt etwas Wichtiges über Kirche aus: Sie ist von Anfang an ein Beziehungsnetz – insofern war sie schon immer „ein globales Netz". Impulsgeber dieser Kommunikation ist die göttliche Botschaft, sind Menschen, die sie weitergeben, interpretieren wollen.
- Das Kapitel ist von zwei besonderen Briefen bestimmt: vom Brief, den Paulus an die Gemeinde in Korinth schrieb, ca. 50 n. Chr. Hier entfaltet er das Bild von Kirche, das Geschichte gemacht hat: Kirche als Leib Christi. Bonhoeffers Taufbrief von 1944 formuliert wegweisende Aufgaben für uns heute. Widersprüchlich zu den großen Harmonie-Bildern sind die Erzählungen vom Konflikt in Korinth und vom europäischen Kolonialismus, der eine geistbewegte Christengemeinde im Kongo zu zerstören suchte. Die Reportage über ein Kirchenasyl bringt einen Konflikt unserer Zeit ins Spiel.
- Die Bilder haben ihre eigene Botschaft: Es sind alles ganzheitliche Bilder – inspiriert von den neutestamentlichen Modellen von Gemeinde: Christus, das Haupt des kosmischen Menschen (lat. Codex), das Haus der lebendigen Steine im Bild von El Loko, das Motiv der Taube als Tauf- und Friedenssymbol der Versöhnungsarbeit (Picasso, Das Gesicht des Friedens) und schließlich „Kommunikation in Ronchamp" von André Ficus – eine doppelbödige Darstellung: Das Schiff, das sich Gemeinde nennt, und andererseits die Kirche als Touri-Objekt, als Museum.
- Die folgenden Seiten bringen einiges an Sachwissen dazu, damit ihr mit dem Thema fundiert und kontrovers umgehen könnt.

Am Ende solltest du Bescheid wissen über:

1. Die Rolle des Briefes für die Kirche;
2. die beiden wichtigen Briefe des Kapitels;
3. biblische Bilder von Kirche und Gemeinde;
4. Aufgaben von Kirche – kontrovers dargestellt;
5. den Konflikt um Simon Kimbangu und seine Kirche;
6. Argumente im Streit um das Kirchenasyl in Bezug auf die Reportage.

Kirche als Internet (SB S. 42/43)

☑ Schreibe eine E-Mail zu dem Artikel!

Wortfeld „Kirche"

☑ Welches Verständnis von Kirche steckt in den Wörtern?

Das Wort ‚Kirche', altriesisch ‚kerke', holländisch ‚kerk', englisch ‚church', russisch ‚cerkov' geht auf das griechische Wort ‚Kyriake' zurück und bedeutet ursprünglich ‚Haus des Herrn'. Daneben ist das griechische Wort ‚ekklesia' gebräuchlich. Es wird im NT verwendet (Apg. 19, 32 f.) und spiegelt sich im frz. Begriff ‚Eglise' wieder. Dieses Wort bedeutet ursprünglich ‚Öffentliche Versammlung', im politischen Sinn die Volksversammlung. Der christliche Begriff ist jedoch durch den hebräischen Sprachgebrauch geprägt und meint vor allem die Schar derer, die von Gott als Mitte der Menschheit berufen wurde. (Vgl. Matth. 16, 18; 18, 17)

☑ Was kann das Wort „Kirche" alles bedeuten? (s. o.)

Was ist Ökumene? Untersucht die verwandten Begriffe „Ökumene“ und „Ökologie“.

Ökumene – abgeleitet vom griechischen Wort ‚oikein‘: wohnen/Oikumene: die ganze bewohnte Erde – steht für die weltweite Gemeinschaft der Kirchen. Nach der Trennung in die Ost- und Westkirche im 11. Jh. sowie der Reformation im 16. Jh. versteht sich die Ökumene der Neuzeit als christliche Erneuerungsbewegung. Bereits im 19. Jh. schlossen sich Kirchen einzelner Konfessionen auf Weltebene zusammen. Auf der Weltmissionskonferenz 1910 im schottischen Edinburgh einigte sich die moderne Ökumenebewegung auf folgende Hauptziele: *Die Suche nach Einheit der Kirchen, Die Verpflichtung zu Frieden, Das Engagement für soziale Gerechtigkeit, Die Evangelisierung der Menschheit.* 1948 schließlich wurde der Ökumenische Rat der Kirchen in Genf gegründet. Dem Weltkirchenrat gehören derzeit 330 protestantische, anglikanische, orthodoxe und altkatholische Kirchen mit über 400 Millionen Christen an. Die römisch-katholische Kirche ist nicht Mitglied, arbeitet jedoch bei einzelnen Programmen mit. In Deutschland ist die Arbeitsgemeinschaft Christliche Kirchen (ACK) die Basis für die ökumenische Arbeit. In unseren Tagen steht der konziliare Prozess für Gerechtigkeit, Frieden und Bewahrung der Schöpfung im Vordergrund der Ökumene.

Ökumenisches Lernen ist „das Erlernen des Welthorizontes“ (Ernst Lange, Ökumenischer Rat) und Abschied vom Kolonialismus, ➻ vgl. S. 46.

Konflikt in Korinth: Der Leib Christi (SB S. 44–45)

Modelle von Kirche

1. Ordne die folgenden Zitate den Bildern zu.

„Jesus rief die Zwölf zusammen und gab ihnen Kraft und Vollmacht Krankheiten zu heilen“ (Lukas 9, 1).

„Lasst euch als lebendige Steine zu einem geistigen Haus erbauen ...“ (1. Petrus 2, 5).

„Ein Schiff, das sich Gemeinde nennt, fährt durch das Meer der Zeit ....“ (Lied EG 609)

„Christus ist das Haupt des kosmischen Leibes, das heißt: der Gemeinde“ (Kolosserbrief 1, 15 f.)

„ Ihr seid alle zusammen der Leib von Christus.“ (1. Kor. 12, 12 ff.)

„Gott lässt die Versöhnungsbotschaft Christi unter uns verkünden.“ (2. Kor. 5, 19 f.)

„Petrus stieg aus dem Boot, ging über das Wasser und kam zu Jesus. Als er dann die hohen Wellen sah, bekam er Angst ... Jesus streckte seine Hand aus, fasste Petrus und sagte: ‚Du hast zu wenig Vertrauen‘“ (Matth. 14, 22 f.)

2. Ergänze die Bibelzitate durch Stichworte aus den Texten des Kapitels und des Arbeitsheftes.

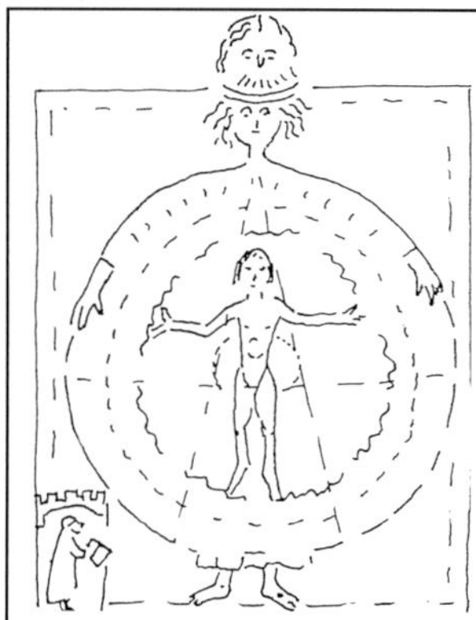

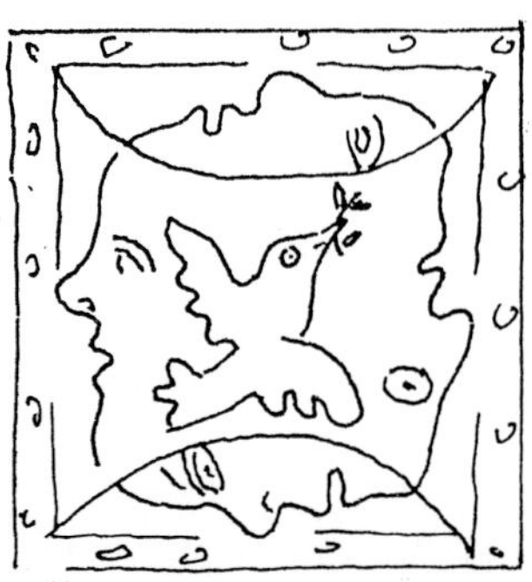

Aufgaben der Kirche

☑ Beschreibe, welche Aufgabenfelder die Kirche hat/haben sollte.

Begleitung von Menschen (Seelsorge, Beratung), „Rites de Passage“ (Taufe, Konfirmation, Trauung, Beerdigung), Hilfe in der Not (Diakonie, Katastrophenhilfe, Suchtberatung, Menschenrechte, Asyl, Nachbarschaftshilfe), Gottesdienst, Religionsunterricht, Theolog. Wissenschaft und Forschung, Mission, Vermittlung in Konflikten, Versöhnungsdienste …

☑ Zur Diskussion:

Prof. W. Huber, Evang. Bischof in Berlin-Brandenburg, sieht in unserer heutigen gespaltenen und säkularen Gesellschaft die ‚Kirche als intermediäre Institution‘. Sie ist eine übergreifende gesellschaftliche Größe und kann darum ‚Medium‘/Vermittlerin sein in verschiedener Hinsicht. Ihre Aufgaben sind darum künftig:

a) Die Vermittlung zwischen geglaubter und erfahrener Wirklichkeit

b) Als Interpretationsgemeinschaft gesellschaftliche Sinnmuster entwickeln.: ‚So schafft sie Verbindungen zwischen den einzelnen und vermittelt zwischen ihnen und dem Leben in der Gesellschaft, ja im Kosmos.‘ Als solche versteht er Kirche als ‚intermediäre Institution‘.

c) Anwältin der Menschenrechte, einer gerechten Wirtschaftsordnung und einer Bewährung als Christ im Alltag zu sein, wobei sich die Kirche zu diesen Komplexen bisher sehr ambivalent verhalten hat.

d) ‚Religion der Freiheit‘ zu sein, indem sie den transmoralischen Gehalt des christlichen Glaubens zur Geltung bringt.

e) Ökumene zu leben in einer dialogischen Struktur mit missionarischer Ausstrahlung.

aus: W. Huber: Kirche in der Zeitenwende, Gütersloh 1998

Die Vision „Der Kosmosmensch“ 1492 von Hildegard von Bingen

☑ 1. Koloriere das Bild
2. Trage ein:
   a) Erklärungen von Hildegard von Bingen
   b) Sätze aus S. 44

Das bekannte Visionsbild heißt „Der Kosmosmensch“. Unten links ist die Mystikerin „Hildegard von Bingen“ abgebildet. Sie sieht in der Mitte den Menschen. Er hält seine Hände weit ausgestreckt zum Universum. Die große Scheibe wird umspannt von den roten Armen einer großen Gestalt, deren Füße ganz unten wieder zu erkennen sind. Diese nennt sie „Caritas“, die Liebe Gottes. Einer der roten Füße ist durchbohrt – ein Hinweis darauf, wer diese rote Gestalt ist. Deshalb hat Hildegard den Kopf von Gott durch den roten Kopf der Caritas ergänzt. Die Caritas umfängt mit ihren Armen die Welt. Diese ist mit den 4 Elementen dargestellt (blauer Rand).

Kirche und Kolonialismus: Simon Kimbangu (SB S. 46 f.)

Simon Kimbangu (1889–1951) war ein Katechet der Baptist Missionary Society/Kongo. Seine Wunderheilungen veranlassten Tausende von Menschen, ihre Pflanzungen, Fabriken, Kirchen und Krankenhäuser zu verlassen, um ihn zu erleben und zu hören, was er als Prophet seit dem 6. April 1921 zu sagen hatte. Er predigte vom Heil und der Befreiung von der Sünde durch Christus.

Auf Betreiben der röm.-kath. Kirche und von Kaufleuten ordnete die Kolonialverwaltung von Belg. Kongo (heute Zaire) seine Verhaftung wegen „öffentlicher Ruhestörung" an, die aber misslang. Fortan arbeitete er im Untergrund. Im September 1921 stellte er sich zusammen mit seinen „Jüngern" der Obrigkeit und wurde nach kurzem Prozess zum Tode verurteilt. Die Staatsanwaltschaft und baptistische Missionare erreichten eine Begnadigung zu lebenslanger Haft. Er wurde nach Elisabethville (Lubumbashi) gebracht, wo er im Gefängnis nach 30-jähriger Haft und Folter am 12. Oktober 1951 starb.

☑ 1. Diskutiert das Geschick von S. Kimbangu und die Rolle der Europäer.
2. Diskutiert den koklonialistischen Ansatz im folgenden Text. Ist das nur Vergangenheit? Beschreibe Alternativen (Vgl. Begriff „Ökumene", „Netzwerk").

📖 Der englische Promoter David Livingstone vertrat 1960 im Rhodesienkonflikt die Meinung: „Unser Ziel ist es, Afrika für Kolonialismus, Handel und Christentum zu öffnen. Wir sind in diesem Lande (Rhodesien), weil wir eine höhere Zivilisation vertreten, weil wir bessere Menschen sind. Es ist unsere einzige Entschuldigung für die Landnahme. Es wäre daher lächerlich, jetzt umzukehren und die Eingeborenen zu bitten, uns mit der Regierung des Landes zu helfen."
Schon im 18. Jh. kritisierte Nikolaus Graf von Zinzendorf (1700–1760) diesen Ansatz der Mission. „Die Mission hat die Absicht, einen Menschen zu bereden, daß er so rede wie ich, so thut wie ich, in eine Verfassung tritt wie ich, auf Hoffnung er wird noch einmal gut werden." Die Herrenhuter Mission ging darum einen ganz anderen Weg – ohne Kolonialismus und Rassismus (Bsp. Moravian Church im südlichen Afrika).

Dietrich Bonhoeffer, Patenbrief aus der Zelle (SB S. 48/49)

Der Patenbrief spielt auf ein weiteres wesentliches Moment von Kirche an: Die Taufe begründet die Kirche und die Mitgliedschaft in ihr.
Der Brief Bonhoeffers wurde während eines Luftangriffs im Gefängnis geschrieben. Dennoch strahlte er ein Gefühl der Geborgenheit und einer großen visionären Kraft aus. Er schlägt mit seiner Zukunftsvision eine Brücke in unsere Gegenwart. Er kritisiert die Kirche, „die in diesen Jahren nur um ihre Selbsterhaltung gekämpft hat, als wäre sie ein Selbstzweck" und spricht von der Aufgabe, „Träger des versöhnenden und erlösenden Wortes für die Menschen und für die Welt zu sein." – „Kirche für andere sein!" – „Unser Christsein wird bestehen im Beten und im Tun des Gerechten." – „Es muss eine neue nichtreligiöse Sprache wie die Sprache Jesu geben."
☑ Diskutiert Thesen in diesem Brief!

Türkan und Mehmet wohnen in der evangelischen Kirche (SB S. 50–52)

Zur Diskussion steht nun das Schicksal einer Kirche, in der sich sonntags nur noch ganz wenige Menschen versammeln ... Es sind noch 10 von vielleicht 3000 Gemeindegliedern. Dafür ist die Kirche zu einer neuen Heimat für eine kurdische Flüchtlingsfamilie geworden ...

☑ 1. Textlektüre. Der Text wird im Spiel ‚heißer Stuhl' durchgespielt: Sitzkreis, in der Mitte der heiße Stuhl, Freiwillige übernehmen eine strittige Rolle, z. B. von Pastor Christian Arndt, von seinen Ältesten, vom Staatsanwalt, von Türkan, von den verbliebenen 10 Gottesdienstbesuchern, um sich vom Gros der Klasse attackieren und in die Enge treiben zu lassen. Der, die Freiwillige soll sich mit der Rolle ganz identifizieren.
2. GA: Ein Brief an die genannten Personen, in der die Entscheidung der Klasse dargestellt und verständlich gemacht wird. Der Patenbrief Bonhoeffers wird zitiert.
3. Erkundung und Dialog:
Die Klasse recherchiert im Umfeld nach einem Fall von Kirchenasyl und macht sich ein authentisches Bild vor Ort. Einladung von Verantwortlichen aus einer Gemeinde.

Kirche Macht Geschichte

Die Deutsche Demokratische Republik (DDR) gehört für deine Generation bereits der Geschichte an. Für viele heute noch Lebende war sie bis zu 40 Jahre lang bedrückende Realität, ein Staat, der seinen Bürgern vorschrieb, was sie denken und fühlen sollten. Auch die wirtschaftliche und ökologische Situation verschlechterte sich zusehends. In wohl keinem anderen Land Europas waren die Menschen so unzufrieden. Der Kirche wurde im Laufe der Zeit ein Nischendasein eingeräumt, das es ihr ermöglichte, für Menschen da zu sein, die sich nicht mit dem Staat abfinden konnten. Viele von ihnen hatten einen Ausreiseantrag gestellt, eine Tat, die in der DDR schon als staatsfeindlich galt. Diese Gruppierungen unter dem Dach der Kirche, Christen und Nichtchristen, wirkten schließlich auf die Ereignisse des Herbstes 1989 hin, die auch als friedliche Revolution bezeichnet werden und schließlich Tausende in Bewegung setzten.

- Für deinen Gang durch das Kapitel solltest du alle dir verfügbaren Quellen nutzen (Mutter, Tante, Vater, Onkel, Internet, Geschichtsbuch, Lexika, Zeitschriften), um dir ein Bild der Situation der beiden deutschen Staaten zwischen 1949 und 1989 zu machen.
- Die Überschrift des Kapitels lädt dich zu einem Wortspiel ein. Auch ohne viele Vorkenntnisse kannst du versuchen, die drei Begriffe einander immer neu zuzuordnen, in Fragen, Aussagesätzen, als Verben, als Nomen. Wie viele Variationen schaffst du wohl? Wie verändert sich die Aussage?

KIRCHE MACHT GESCHICHTE

Mauern (SB S. 54/55)

Mauern sind in mancherlei Hinsicht prägend für das Lebensgefühl der Menschen in der DDR gewesen. Die reale Berliner Mauer ist dafür zum Sinnbild geworden. Mauern können sich in den Köpfen ausbreiten, auch Mauern aus Stein verändern das Leben.

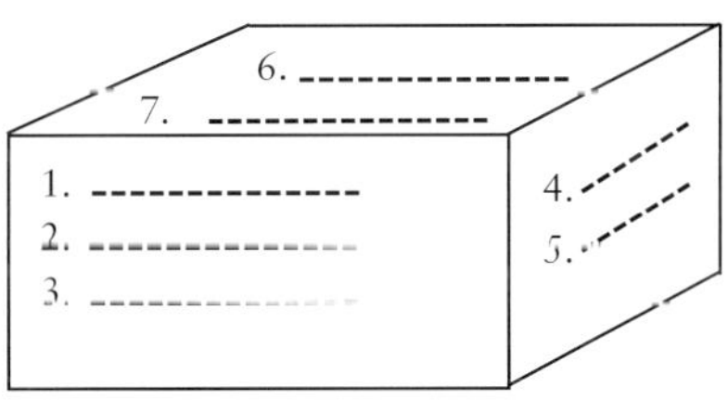

☑ Das ist ein Stein der Berliner Mauer. Wann ist sie gebaut worden? Und warum? Wie wurde sie in der DDR genannt? Zeichne einen großen Backstein in dein Heft und trage dort deine Ergebnisse ein.

☑ In dem Text von Reiner Kunze wird die Bibel auf dem Regalbrett zum Problem. Warum? Wie verstehst du die „Klassifizierung" als „unsicher"? Stelle Informationen zusammen, die du über Michael erhältst und solche, die du über den Erzieher, den Direktor und die Leiterin für Staatsbürgerkunde entdecken kannst:

Michael: ______________________

____

____

____

der Erzieher: ______________________

____

der Direktor: ______________________

____

die Leiterin für Staatsbürgerkunde: ______________________

____

☑ Wie wirkt das Bild von Erwin Hahs (SB S. 55) vor dem Hintergrund der Überschrift „Mauern" auf dich? Versuche es mit wenigen Sätzen zu beschreiben.

Lass dich nicht verhärten (SB S. 56)

Mit Musik und Kunst lassen sich Gefühle ausdrücken. In der DDR wurde z. B. ein Teil der Liedermacherszene sehr wichtig, weil sie als Sprachrohr derjenigen diente, die mit den gesellschaftlichen Zuständen unzufrieden waren. Wolf Biermann war eine solche wichtige Figur. Er musste schließlich die DDR verlassen. Sein „Lied von der Ermutigung“ hat Geschichte gemacht. Vielleicht findest du eine Aufnahme im Plattenschrank zu Hause oder in der Stadtbücherei. Vergleiche den Liedtext von damals mit solchen, die dir heute wichtig sind.

„Ein Mensch (Ecco homo)“ (SB S. 57)

Dies ist der Titel der Montage von Wolfgang Mattheuer. „Ecco homo“ ist der Ausruf des Pilatus, als er Jesus mit der Dornenkrone sieht. „Was für ein Mensch“ können auch wir als Frage an das Bild richten und eine Geschichte, die Geschichte des Mannes erzählen, der uns dort entgegenkommt. Gib ihm eine Identität. Wie ist sein Name? Wo kommt er her, wo will er hin?

PASS

Name:

Ort:

WOHER?

WOHIN?

Berlin, Gethsemanekirche (SB S. 58/59)

Mit diesen Seiten bist du schon mitten im Geschehen des Herbstes 1989. Am Beispiel eines Einzelnen erfährst du, dass es auch zu diesem Zeitpunkt nicht nur friedlich zuging. In der DDR war jede kritische Meinungsäußerung verboten. Die Herstellung und Verbreitung von Flugblättern hätte das Aus deiner beruflichen Pläne bedeuten können. Zivilcourage ist aber nicht nur in einem willkürlich handelnden Staat von Bedeutung. Kennst du Beispiele von Zivilcourage aus deiner Umgebung?

Die Bemalung der Mauer, die nur von der Westseite her möglich war, war immer ein Zeichen des Protestes.

Hier ein Stück Mauer, dass du gestalten kannst. Stell dir vor, du kämst aus der DDR und hättest plötzlich Gelegenheit, deine Meinung, deine Gefühle auszudrücken – was malst oder schreibst du?

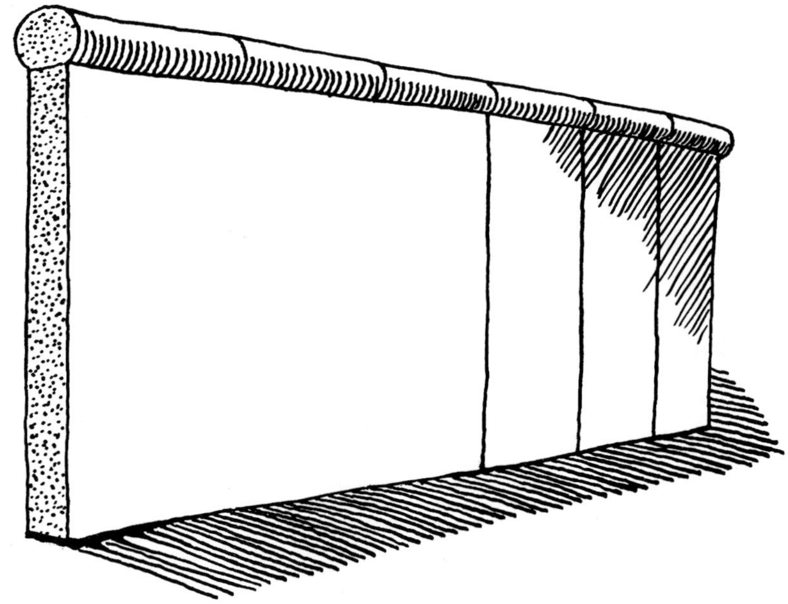

Für unser Land (SB S. 60/61)

Die vielen Lichter, die während der Demonstrationen und Menschenketten angezündet wurden, stehen für die Hoffnung auf gerechtere Lebensverhältnisse. Nach dem 9. November 1989 schienen viele Möglichkeiten offenzustehen, wie sich die DDR entwickeln könnte. Die drei Aufrufe können dir einen Eindruck davon vermitteln.

Lies die Texte genau und notiere dir, welche die dringendsten Fragen waren. Welche Perspektiven kommen in den Blick?

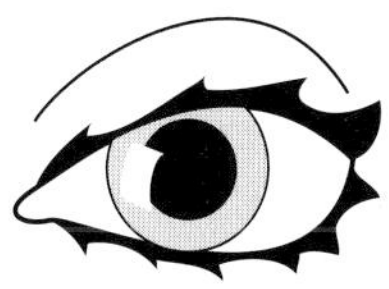

Die Plastik von Alberto Giacometti trägt den Titel „Modell für einen Platz“. Hier im Buch steht sie symbolisch für den Versuch der Neuordnung von Strukturen. Ein solcher Versuch fand Gestalt in der Einrichtung des „Runden Tisches“, der am 7. Dezember 1989 erstmalig in Berlin tagte. Hast du bereits Informationen zum Runden Tisch gefunden? Wer wurde eingeladen? Was wurde beraten?

Der Runde Tisch bewährt sich überall dort, wo verschiedene Gruppierungen an der Lösung eines bestimmten Problems interessiert sind. Gibt es an deiner Schule, in deiner Kirchengemeinde eine Frage, deren Klärung deiner Ansicht nach eines größeren Gremiums bedarf? Setzt euch zu zweit oder zu dritt zusammen und überlegt gemeinsam, wer zusammenkommen müsste um das Problem zu lösen.

Jetzt hast du das Kapitel durchgearbeitet und auch selbst noch ein bisschen zur DDR-Geschichte geforscht. Damit nichts verloren geht, lege dir doch eine Karteikarte an, auf der du wichtige Daten, Personen, Entwicklungen … notierst. Ein Leitfaden dafür könnte lauten:
Wie sah das Leben in der DDR aus und welche Rolle hat die Kirche dabei eingenommen?

Nach der Shoa

Vielleicht sprecht ihr in Geschichte gerade über den Nationalsozialismus und die Judenverfolgung oder ihr lest in Deutsch Texte wie „Andorra“ von Max Frisch. Dann seid ihr weitgehend mit den *historischen Fakten* vertraut. In diesem SpurenLesen-Kapitel geht es vor allem um *deine Gedanken* zu diesem Thema. Es geht um den Versuch, sich in einzelne Menschen einzufühlen, die von der Shoa betroffen waren. Aber auch darum, wie junge Juden heute in Deutschland leben und wie sie sich ihre Zukunft hier vorstellen. Ein Leben in Deutschland ist auch für die meisten Juden der zweiten und dritten Generation nach der Shoa nichts Selbstverständliches.

- Vor einiger Zeit hat sich, ausgehend von den Niederlanden, eine Gesprächsgruppe gebildet, die sich „Second generation-Trust“ nennt, inzwischen gehört auch schon die „third generation“ dazu. In dieser Gesprächsgruppe geht es darum, sich dem Erlebten anzunähern, das Trauma der Vergangenheit, das bis heute in das Leben der Teilnehmenden hineinwirkt, zu verarbeiten, vor allem aber auch um das Gespräch zwischen „Opferkindern“ und „Täterkindern“ bzw. „-enkeln“. Der „Pakt des Schweigens“ soll gebrochen werden und es soll dadurch eine Annäherung zwischen den Generationen innerhalb derselben Gruppe und zwischen den Angehörigen der beiden Seiten „Täter–Opfer“ ermöglicht werden.
- Vera hat ihr Erlebnis (➻ SB S. 67) auf einem solchen Treffen der „Second und third generation“ berichtet.
- Auch dadurch dass in den letzten Jahren vermehrt russisch-jüdische Emigranten nach Deutschland gekommen sind, wird es in Zukunft häufiger vorkommen, dass ihr mit jüdischen Mitschülerinnen und Mitschüler in der Klasse zusammen seid. Du wirst feststellen, dass es für jüdische Menschen damals und heute immer wieder um die Frage ihrer Identität ging und geht. Identitätserfahrung ist nicht anders möglich als durch die Erfahrung der Akzeptanz: So wie ich bin, darf ich sein und werde so auch von anderen bestätigt. Das „heimliche“ Thema ist neben „Erinnerung“ also vor allem die Frage und die Suche nach Identität. Bereits das Titelbild thematisiert diesen Fragenkomplex.

Am Ende solltest du Folgendes kennen und wiedergeben können:

1. Erklärung des Begriffs „Shoa“ im Unterschied zu „Holocaust“ mit Begründung dafür, warum dieser Begriffswechsel stattgefunden hat.
2. Überblick über die wichtigsten Phasen der Judenverfolgung im Dritten Reich und die Wurzeln des Antisemitismus.
3. Namen der Orte, wo Juden ermordet wurden.
4. Welche Ziele verfolgt der „Second-generation-Trust“?
5. Wie stehen überlebende Opfer (wie A. Lasker-Wallfisch, I. Bubis, David) zu einem Neuanfang des gemeinsamen Lebens zwischen Juden und Nichtjuden?

Soll ich zuständig sein? (SB S. 62/63)

Veras Bericht steht im Kontrast zu Felix Nussbaums Bild.

1. Überlege dir eine Erklärung zu diesem Kontrast.
2. Trage Beispiele aus deiner Schulerfahrung zusammen, wo Mitschülerinnen und Mitschüler ihren persönlichen Hintergrund nicht preisgeben wollten (z. B. Adoptivkinder?).

Die „second generation“ (SB S. 65, 67, 69)

In der Geschichte wurde den Juden ihre Identität sehr oft streitig gemacht, so auch in der jüngeren deutschen Gechichte. Sie „durften nicht sein“. Diese Erfahrung beinhalten die Texte von H. Broder, Th. Heydrich (aus der Erfahrung des nachgeborenen „Täterkindes“), R. Klüger und A. Lasker-Wallfisch. Hier erhältst du vor allem auch einen Einblick in den Dialog zwischen Opfer- und Täterkindern der „second generation“. Das Erlebnis von A. Lasker-Wallfisch führt dich in die unmittelbare Erfahrung in einem Konzentrationslager. Um uns das Schicksal der Menschen, die dies erlebt haben, etwas vor Augen führen zu können, ist es wichtig, die Namen der Orte zu kennen, an denen Juden ums Leben gebracht wurden (s. nächste Seite).

☑ Betrachte daher die nachfolgende Karte, auf der einige dieser Orte (s. die schwarzen Punkte) verzeichnet sind.

Topografie des Terrors und der Vernichtung

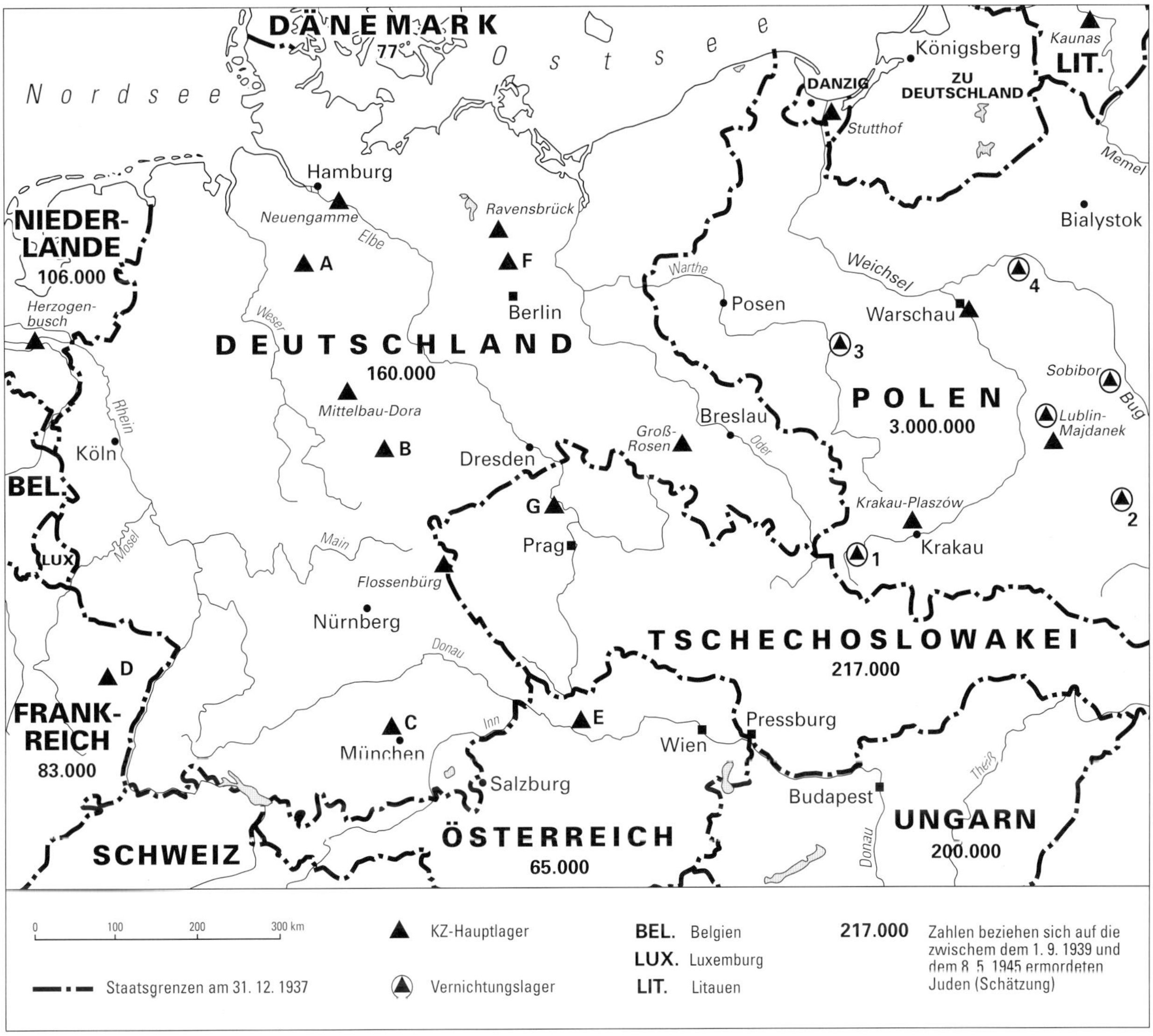

☑ 1. Mache die auf der Karte eingezeichneten Vernichtungslager ausfindig (durch Zahlen gekennzeichnet) und benenne die Ortsnamen.
2. Verdeutliche dir in gleicher Weise, wo Konzentrationslager waren (auf der Karte durch Buchstaben gekennzeichnet).
3. Erkläre, worin sich Konzentrationslager und Vernichtungslager unterscheiden.
4. a) Was verbirgt sich hinter dem Wort „Endlösung“?
b) Zu welchem Zeitpunkt und durch welche Konferenz wurde sie beschlossen?

Vernichtungslager	Konzentrationslager
1	A
2	B
3	C
4	D
	E
	F
	G

🕮 Die Verfolgung der Juden von der Diskriminierung (= Missachtung) bis hin zum Massenmord wurde – so kann man sagen – in vier Phasen vollzogen: 1. Phase: 1933–1935 Jüdischer Boykotttag (1. 4. 1933), d. h. Boykott jüdischer Geschäfte, der Arierparagraph (7. 4. 1933), d. h. Entfernung von Juden aus der Beamtenschaft, verschiedene andere Maßnahmen (wie Postüberwachung, Durchsuchung von Wohnungen etc.). 2. Phase: 1935–1938 Nürnberger Rassegesetze (15. 9. 1935), dadurch verstärkte Diskriminierung der Juden, denen Eheschließung mit nichtjüdischen, sogenannten arischen, Partnern verboten war, Kinder wurden in Schulen abgesondert etc. Jüdische Reisepässe wurden mit dem Stempel „J" versehen und die Vornamen durch „Israel" bzw. „Sara" ergänzt. 3. Phase: 1938–1941 Organisierte Gewaltaktionen gegen Juden und jüdisches Eigentum (9. 11. 1938 „Reichskristallnacht" bzw. „Pogromnacht"), nachts Ausgangssperre, Benutzungsverbot öffentlicher Transportmittel und von Luftschutzräumen, erste Massentransporte in polnische Lager, vor allem nach Auschwitz. Badische und pfälzische Juden wurden in Internierungslager nach Südfrankreich, v. a. nach Gurs in den Pyrenäen, verschleppt, um von dort vielfach in die Vernichtungslager im Osten deportiert zu werden. 4. Phase: 1941–1945 „Endlösung" der Judenfrage, auf der Wannsee-Konferenz am 20. 1. 1942 beschlossen, die die Massenvernichtung der Juden durch Erschießung und Vergasung zur Folge hatte. Allein in Auschwitz wurden 2,5 Millionen Menschen ermordet. Die Gesamtzahl der Opfer der Shoa wird von Historikern auf 5,29 Millionen Menschen geschätzt.

„Ich darf sein" (SB S. 71, 72, 74; 66)

Der dritte Gedankenschritt des Kapitels will mögliche Wege für die Gestaltung einer gemeinsamen Zukunft eröffnen. Hier geht es vor allem um die Erfahrung „Ich darf sein" – für mich und mit anderen (mir fremden) Menschen zusammen. Diese Erfahrung drücken die Texte von Martin Buber, Ignatz Bubis und David, einem jüngeren Juden in Deutschland, aus. Du wirst entdecken, dass die Bilder jeweils den einzelnen Gedankenschritten zugeordnet sind, so dass du einen Zusammenhang herstellen kannst. Etwas genauer solltest du die abgebildete Skulptur von Barnett Newman „Obelisk" betrachten. Sicher ging es Newman u. a. um die „Zeitlosigkeit" der Erinnerung und des Gedenkens, aber auch um die „empfindlichen" Stellen eines solchen Gedenkens.

☑ 1. Versuche den Obelisken von Newman nachzubauen. Du kannst unterschiedliche Materialien benutzen (Pappe, Knete, Ton etc.).
2. Wo befinden sich nach deiner Erfahrung heute die „empfindlichen", „brüchigen" Stellen?
3. Welche symbolische Bedeutung könnte Newman dem beigemessen haben?

🕮 Wahrscheinlich weißt du, warum das Wort „Holocaust" (das übrigens von Elie Wiesel geprägt wurde, einem überlebenden Juden in Amerika), seit einiger Zeit nicht mehr verwendet werden sollte. „Holocaust" ist das in der hebräischen Bibel verwendete Wort für das zu bestimmten feierlichen Anlässen Gott wohlgefällige Brandopfer, wobei das ganze Tier geopfert wurde. Es leuchtet ein, dass dies Wort für die Ermordung der Juden im Dritten Reich nicht passt. Von jüdischer Seite wurde nun das Wort „Shoa" eingeführt, das „völlige Vernichtung/Katastrophe" bedeutet.

Streiten mit Gott

Sicher hast du dir schon Gedanken gemacht über die Ungereimtheiten und Ungerechtigkeit der Welt. Da lernt man fleißig auf eine Arbeit und schreibt eine schlechte Note. Ein anderer, der investiert wenig und hat Erfolg. Pech gehabt. Ungerecht ist es schon, allein wenn man das Verhältnis von Leistung und Erfolg anschaut. Und es ist widersprüchlich. Auf der einen Seite geht es nach dem Sprichwort ‚Ohne Fleiß kein Preis' – andererseits stimmt auch diese Wahrheit: „Die dümmsten Bauern haben die dicksten Kartoffeln!"

Unser Gerechtigkeitsempfinden bestimmt auch unser Gottesbild. Kinder denken in einer einfachen Gleichung: Ich gebe – du gibst („do ut des"). Wenn ich zu Gott bete – wird er mir helfen. Du selber hast schon erlebt, dass diese Gleichung nicht aufgeht. Was nun? Gibt es keinen Gott oder ist unser Muster „do ut des" falsch, um Gott zu verstehen? Darum geht es u. a. im Buch Hiob. Es entstand in einer Zeit, als im alten Orient in allen Religionen die schematische Schicksalsgleichung „do ut des" ins Wanken kam. Zahlreiche altorientalische Parallelen des 20.–14. Jh. v. Chr. aus dem Zweistromland, Ägypten und Ugarit weisen auf eine verbreitete Auseinandersetzung mit der überkommenen ‚do ut des – Frömmigkeit' hin. Deren bekannteste ist die „Babylonische Theodizee", 1000 v. Chr. Das Hiobbuch entstand zwischen dem 5. u. 3. Jh. (vgl. z. B. Ez 18, Psalm 88). Eine genauere Lokalisierung etwa einer historischen Gestalt ist nicht möglich.

Kaum eine biblische Figur hat die Literatur- und Kunstgeschichte so beeindruckt wie Hiob. Bekanntestes Beispiel: Goethes Faust. Das liegt daran, dass die Theodizee- und die Gottesfrage zu den existentiellen Grundfragen der Menschheit gehören („Theodizee" – wörtlich: ist Gott gerecht? Frage nach der Gerechtigkeit Gottes).

Hiob wird als reicher orientalischer Scheich eingeführt, aber er ist eine ‚Kunstfigur'. Nach hebräischer Auslegung ist das Buch Hiob ein Gleichnis (‚masal'), wir könnten sagen ‚ein Modell', ein dummy, an dem die Frage nach dem Leid in extremer Weise durchgespielt wird. Sein Rechtsstreit liegt auf derselben Ebene wie Nathans Gleichnis vor David (2. Sam. 12). So wie David nur durch das Gleichnis zur Erkenntnis über sich kam, so führt die Hiobgeschichte als masal die Menschen zur Erkenntnis über sich und über Gott.

Am Ende des Kapitels solltest du Bescheid wissen über:

1. Die Geschichte des arabischen Scheichs Hiob;
2. Die Fragestellung des Buches, seine Entstehung und die These vom „Masal";
3. Den Inhalt des Rahmens und die Hauptargumente des Dialogs;
4. Die Einstellung „do ut des" religionsgeschichtlich und entwicklungspsychologisch;
5. Die Gegenthese H. Kushners: „Liebe statt Gerechtigkeit!";
6. Die ‚Hiobserfahrung' von Elie Wiesel:
7. Die neue Erkenntnis Hiobs.

Die Geschichte des arabischen Scheichs Hiob aus dem Lande Uz

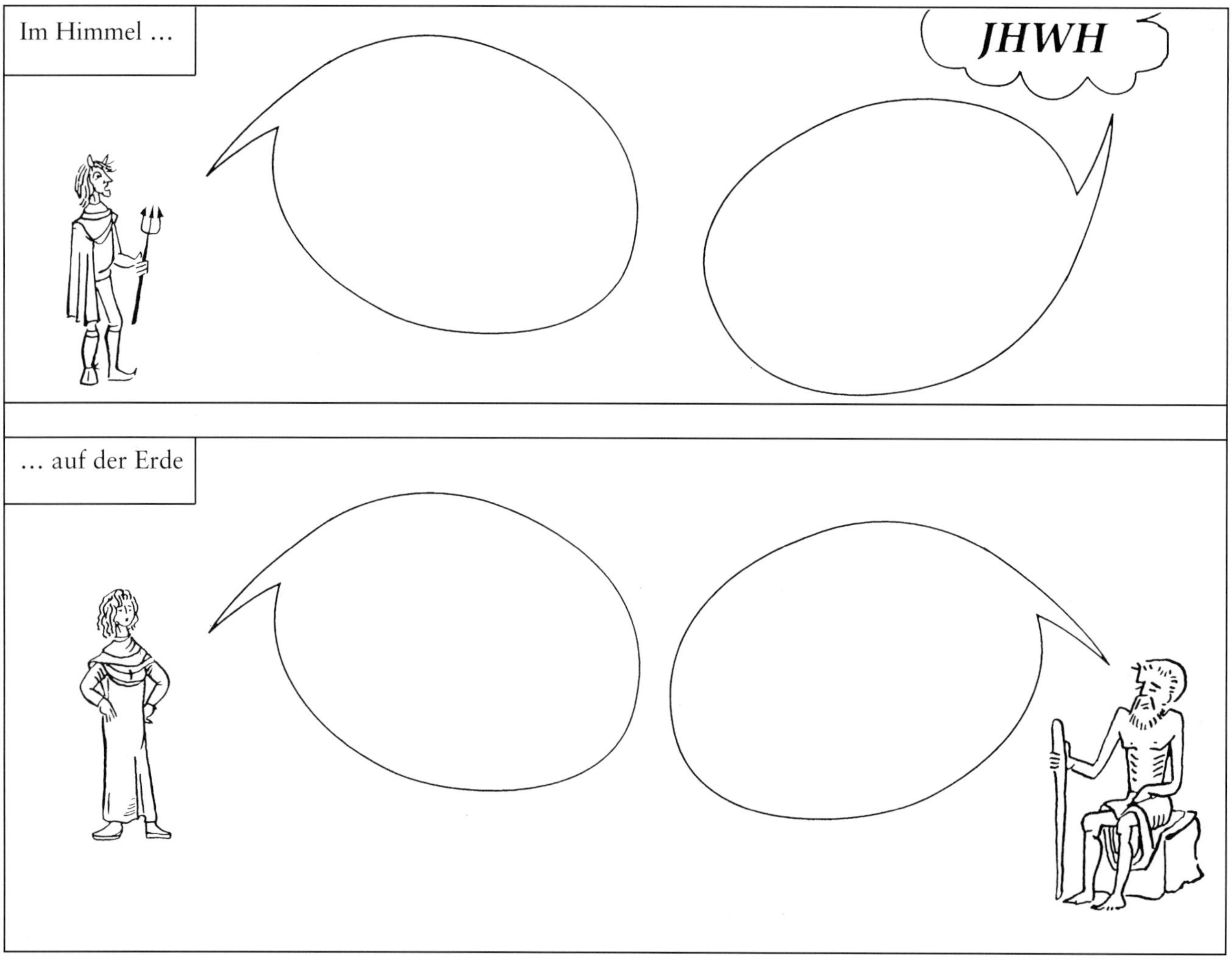

Das Buch Hiob beginnt mit der Schilderung der Weisheit und Frömmigkeit Hiobs. Er glaubt an Gott und ist zugleich mit Wohlstand, Familie, Gesundheit und Glück gesegnet. Es geht ihm so gut, wie es seinem guten Tun entspricht.

Aber gerade dies veranlasst Satan zu fragen, ob sich Hiob auch dann noch fromm und gottesfürchtig verhält, wenn es ihm schlecht geht. Diese Frage führt zu einer Art „Wette" zwischen JHWH und Satan, ob denn Hiob „umsonst" an Gott festhält. Dieses Wörtchen „umsonst" kennzeichnet das im Hiobbuch verhandelte Problem (Glaubt er, damit er von Gott belohnt wird oder glaubt er und lebt er ohne diesen Zweck und Sinn? – umsonst eben?!).

Hiob wird von einer Kette von Unglücksschlägen getroffen. Ihn erreichen die „Hiobsbotschaften": Seine Habe ist vernichtet, seine Kinder sind getötet. Aber Hiob lässt sich nicht von Gott abbringen. Sein Kommentar: „Der Herr hat's gegeben – der Herr hat's genommen, der Name des Herrn sei gesegnet!" (1,21) Die Wette wird verschärft, Hiob von schrecklicher Krankheit geschlagen und nach damaliger Auffassung aus der Welt der Lebenden in die Sphäre des Todes gestoßen. Hiob: „Das Gute nehmen wir von Gott und das Böse sollten wir nicht annehmen?" (2,10)

Die Freunde Hiobs, Eliphas, Bildad und Zophar, besuchen den Ausgestoßenen, um ihn zu trösten. Sieben Tage und Nächte sitzen sie bei ihm in stummer Solidarität. Seine Frau rät ihm, seinen Glauben aufzugeben und zu sterben.

In Kap. 3 beginnt der Hauptteil mit den Streitgesprächen zwischen Hiob und seinen Freunden. In einem dreifachen Rededuell, in dem Hiob jeweils auf die Rede eines Freundes antwortet, werden das Leiden Hiobs, sein Sinn und die Frage nach der Gerechtigkeit Gottes erörtert. Dabei verkörpert Eliphas einen alten Weisen, der besonnen und erfahren spricht. Bildad vertritt die Argumente der bisherigen Überlieferung. Zophar, der Jüngste, kommt mit temperamentvoll vorgetragenen Allerweltsweisheiten daher (Dialoge: Kap. 3–42). Hiob beklagt zunächst sein Schicksal und das Unbegreifliche daran. Die Argumentation der Freunde lässt sich so zusammenfassen: Hiob soll seine Schuld eingestehen. Denn Leiden kann nur durch eigenes

Verschulden erklärt werden. Er soll vor Gott bereuen. Dann wird Gott ihn gesund machen und sein Glück wieder herstellen. Demgegenüber bestreitet Hiob schuldig geworden zu sein. Er habe ein vorbildliches Leben geführt. Die Freunde steigern sich in ihrem Streit, sodass Hiob Gott schließlich anklagt, weil er einen unschuldigen Menschen quält und sich damit zum Verbrecher macht (9). Hiob besteht auf einer Antwort Gottes. Nun tritt ein vierter Freund auf, Elihu. Er fordert in einer langen Rede (32–37) Hiob auf, seine Leiden als Prüfung, als Weg zur Vertiefung und Läuterung der Frömmigkeit zu verstehen.

Endlich ergreift JHWH selbst das Wort. In einer Rede „aus dem Wetter" führt er Hiob mit zahlreichen Beispielen aus dem Bereich der Natur vor Augen, wie wunderbar und rätselhaft die Schöpfung geordnet ist. Aber diese Schöpfung dreht sich nicht allein um den Menschen, schon gar nicht um Hiobs kleine Perspektive. Diese Welt ist voller widerstreitender Kräfte und Interessen. Es gibt keine heile Welt Gottes! Hiob erkennt daraufhin die Schwäche seiner bisherigen Perspektive. Eine zweite Gottesrede handelt von chaotischen Mächten, von Chaosdrachen (Leviathan) und Ungeheuern (Behemoth). Sie stehen für das Böse, das Gott auch geschaffen hat, so wie er Hiob schuf. Gegen dieses Böse kann kein Mensch ankommen. Nur Gott kann es begrenzen, bekämpfen und vernichten.

Nun erkennt Hiob, dass er bisher ohne Einsicht geredet hat: „Vom Hörensagen hatte ich von dir gehört, jetzt aber hat mein Auge dich geschaut. Darum verwerfe ich und ändere meine Einstellung ..." (42,5)

Damit ist der Redeteil abgeschlossen. Ein Epilog schließt sich an, der an den Prolog (1f.) anknüpft. Er beginnt mit einer Verurteilung der Freunde durch Gott. Allein Hiobs Fürbitte rettet sie; Hiob wird von neuem beschenkt mit Kindern und Reichtum und einem langen Leben.

(Nacherzählung von Hans-Jürgen Herrmann. Text-Grundlage u. a.: Jürgen Ebach, TRE, Art. Hiob (S. 361f.))

Das „Do ut des-Denken"

1. Vergleiche die verschiedenen Positionen mit dem „Do ut des-Denken". Was denkst du?
2. H. Kushner setzt gegen das Do-ut-des-Denken die These „Er hört auf, nach Gerechtigkeit in dieser Welt zu suchen und sucht stattdessen Liebe." Diskutiert den Satz „Wir lieben Gott nicht deshalb, weil Er vollkommen ist. Wir lieben ihn nicht, weil er uns vor allem Bösen bewahrt ... wir lieben ihn, weil Er Gott ist, der Urheber all der Schönheit und Ordnung um uns herum, die Quelle unserer Stärke und Hoffnung und unseres Mutes. Wir lieben ihn, weil Er das Beste unseres Selbst und unserer Welt ist. Das bedeutet lieben ..." (➽ SB S. 84f.). Meine Antwort:

____

____

3. Wie überwindet die Frau in der chinesischen Legende das Leid? (➽ SB S. 84f.)

____

____

Fremde – Heimat

Juden leben heute in aller Welt. Nur eine Minderheit wohnt im Staat Israel. Dass die Mehrheit der Juden nicht mehr in ihrem ursprünglichen Land leben kann (oder auch will), ist eine Tatsache, die auf Ereignisse vor 2500 Jahren zurückgeht. Schon in der Zeit des Alten Testaments beginnt die wechselhafte Geschichte der Juden mit der Eroberung Jerusalems und seiner Umgebung durch die Babylonier.

Ihr erfahrt in den Texten und Bildern:

- Die Vorgeschichte der Eroberung Jerusalems (➽ SB S. 87);
- von den Auseinandersetzungen in der von den babylonischen Feinden bedrohten Stadt, bei denen der Prophet Jeremia eine wichtige Rolle spielte (➽ SB S. 90).
- von der eigentlichen Eroberung und Zerstörung Jerusalems (➽ SB S. 91);
- Klagelieder der in der Stadt Zurückgebliebenen (➽ SB S. 92);
- vom Neuanfang des Propheten (Deutero-Jesaja) und in der Zeit Esras (➽ SB S. 94–95);
- Dokumente heutiger Zionssehnsucht (➽ SB S. 96–97).

Die Vorgeschichte der eigentlichen Eroberung (SB S. 87)

☑ Wir haben über diese Ereignisse (was für die ältere Geschichte relativ selten ist) zwei Berichte, einen aus babylonischer und einen aus jüdischer Sicht. Was ist in beiden Quellen gemeinsam? Wo findest du Unterschiede?

In der Fremde (SB S. 90)

☑ Jeremia hat denjenigen, die bereits nach Babylon verschleppt wurden, einen Brief geschrieben. Schreibe einen Antwortbrief eines Verschleppten in Babylon, dem es den Umständen entsprechend gut geht, an Jeremia. Du kannst dich dabei, was die Gefühle angeht, an der Schilderung von Judith Kerr (auf derselben Seite) orientieren!

Lieber Jeremia!
Es ist schön, dass du uns aufmuntern möchtest, aber …

Jerusalems Mauern fallen (SB S. 91)

☑ Beschreibe in deinen Worten den Ablauf der Eroberung Jerusalems!
Der Maler des Bildes (➽ SB S. 86) hat die Zerstörung Jerusalems mit in sein Bild aufgenommen. Was lässt sich erkennen?
Hier findest du eine Liste der Ereignisse, die sonst noch auf dem Bild abgebildet sind. Ordne sie den Bildmotiven (s. nächste Seite) zu!

- Mose (einem Rembrandt-Bild nachempfunden)
- aus einem ägyptischen Fries (Hinweis auf Ägyptenzeit)
- Hörner blasende Menschen, darüber zusammenfallende Stadt (Hinweis auf Jericho)
- Michelangelos David, darüber vermutlich die Salbungsszene; darunter Saitenspieler (David oder Salomo)
- vermutlich Babylonier (Hinweis auf die darunter angedeutete Zerstörung der darüber noch heil abgebildeten Stadt Jerusalem), Bilderfries wohl im Anschluss an assyrische Darstellungen (vgl. SB 40 f.)
- vermutlich Esther (geflügeltes Wesen, Hinweis auf Persien)
- Makkabäeraufstand (Makkabäus = Hammer)
- Zerstörung Jerusalems 70 n. Chr.
- Leonardos Abendmahl als Hinweis auf das Auftreten Jesu und die Entstehung des Christentums

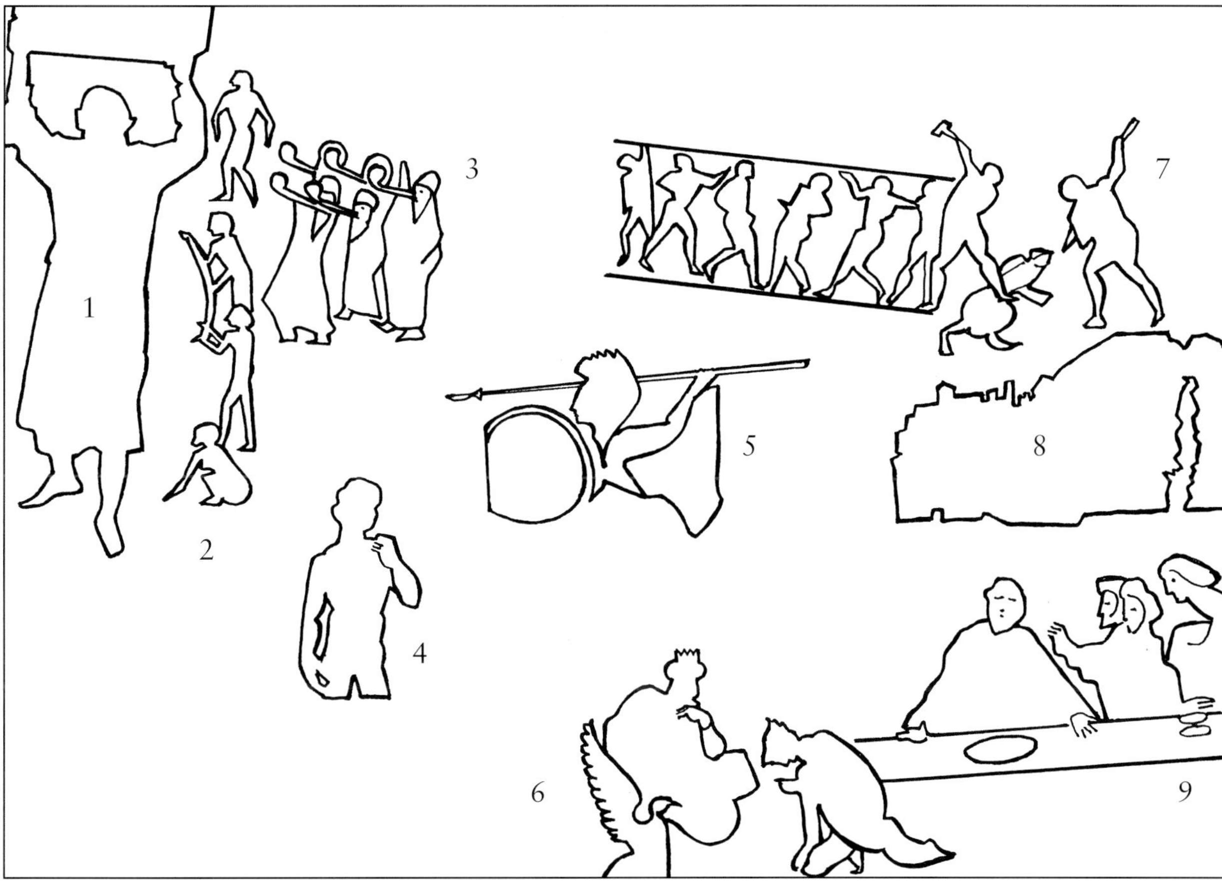

Die Berufung des Propheten Jeremia

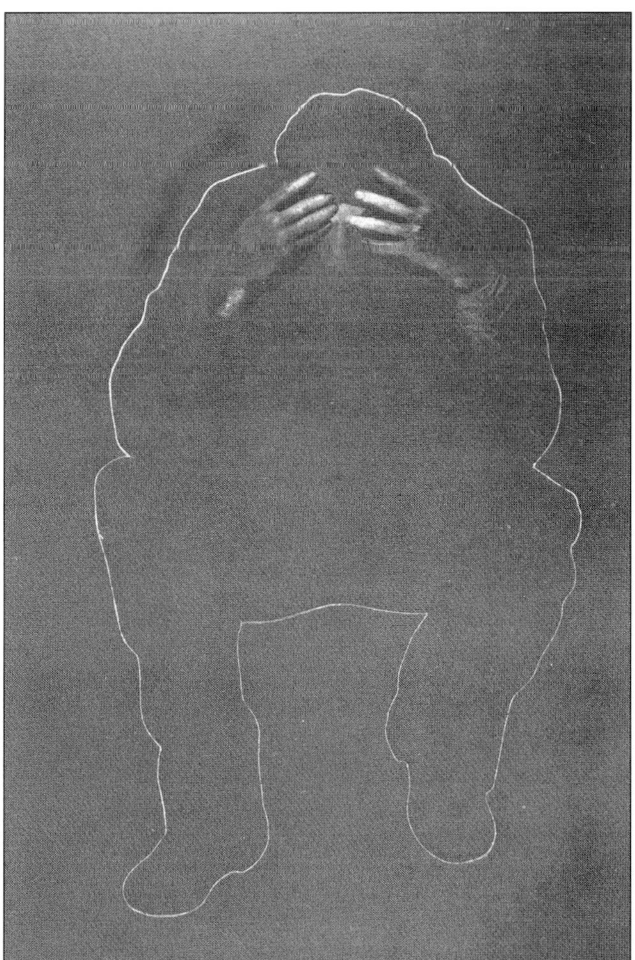

☑ 1. Beschreibe das Bild und formuliere mögliche Gedanken dieses Menschen!

2. Inwieweit passt dieses Bild zu einem Propheten? Denke dabei sowohl an deine Vorstellungen als auch an Prophetengestalten, die du möglicherweise schon kennst.

Rafael Canogar, El Desolado, 1970 © VG Bild-Kunst, Bonn 2000

Über die Berufung des Propheten Jeremia (um das Jahr 627 v. Chr.) wird so berichtet (Jer 1,1-4):
Da geschah des HERRN Wort an mich:
„Ich kannte dich, bevor ich dich im Mutterleib gebildet hatte. Ich wählte dich aus, bevor du von deiner Mutter geboren wurdest. Ich habe dich zum Propheten für die Völker berufen.“
Ich aber antwortete: „Ach, HERR, ich kann nicht predigen, ich bin zu jung.“
Der HERR aber sprach zu mir: „Sag nicht ich bin zu jung. Du sollst gehen, wohin ich dich immer sende, und du sollst alles predigen, was immer ich dir gebiete. Fürchte dich nicht vor Königen und vor dem Volk, denn ich bin bei dir und will dich beschützen.“
Und der HERR streckte seine Hand aus, berührte meinen Mund und sprach: „Damit lege ich meine Worte in deinen Mund. Ich setze dich heute über Völker und Königreiche.
Du sollst ausreißen und einreißen,
du sollst stören und verderben,
du sollst bauen und pflanzen!“

(Bibeltext nach Heller/Biesenbach: Die Nacht leuchtet wie der Tag, Bibel für junge Leute. Frankfurt a. M. 1992, S. 137)

1. Wie erlebt Jeremia seine Berufung?
2. Setze diese Szene in ein Verhältnis zum Bild!

Rückkehr (SB S. 95)

1. Was beabsichtigt Esra mit seiner Verordnung?
2. Welche Konsequenzen hätte das für Elam und seine Mutter?
3. Inwiefern steckt in dem Verbot, Nichtjuden zu heiraten, die Erfahrung der Exilszeit? Was hätte es für die Fortexistenz des Judentums bedeutet, wenn es eine große Zahl Ehen mit Babyloniern gegeben hätte?
4. Passt das Bild von Shirin Neshat zu der Geschichte? Sammle Argumente pro und contra!
5. Das Tragen des Kopftuches macht ihre Trägerin identifizierbar als Angehörige einer bestimmten Religion. Wie ist das zu bewerten?
6. Inwiefern zeigt gerade ein Thema wie das Kopftuch die Problematik von Assimilation (mit dem Ziel der Verschmelzung mit der Mehrheit) und Aufrechterhaltung der eigenen Identität einer Minderheit (mit dem Preis immer „fremd“ zu bleiben)?

„Die Meinung der Frauen … ist unterschiedlich: Die einen lehnen das Kopftuch ab, weil davon nicht der Glaube abhinge. Andere sehen die Kopfbedeckung als deutliches Zeichen ihrer Religiösität. Und wieder andre meinen, erst das Tuch führe zu wirklicher Emanzipation. Über das Tragen von Kopftüchern im deutschen öffentlichen Dienst – vor allem bei (u. a. konvertierten) Lehrerinnen wurden und werden harte Auseinandersetzungen geführt. „Es ist immer ein Problem, ob eine Gesellschaft dazu bereit und reif genug ist, mit solchen Zeichen gewollter Fremdheit tolerant umzugehen“ (Ursula Spuler-Stegemann, Muslime in Deutschland. Freiburg 1998). Daneben gibt es sicherlich noch genug junge Mädchen, die gegen ihre Überzeugung gezwungen werden, und für die das bewusste Nicht-mehr-Tragen ein schwieriger Akt der Emanzipation ist.“

(Karin Richter-Knapp in: frauen unterwegs 5/1998, hrsg. Ev. Frauenhilfe in Deutschland e. V.)

Welches sind eure äußerlichen Zeichen, die die Zugehörigkeit zu einer bestimmten Gruppe anzeigen? Könntet ihr auf sie verzichten?

Zions-Sehnsucht (SB S. 96)

1. Wie beschreibt der Autor die häusliche Atmosphäre, in der „Jüdischkeit in der Luft lag“?
2. Welche konkrete Hoffnung verbindet er mit der Ankunft des Messias?
3. Wie unterscheiden sich jüdische und christliche Endzeithoffnung (➻ SB138/139)
4. Welches Enttäuschungsrisiko ergibt sich aus einer solch starken Hoffnung?
5. Vergleiche die Hoffnung Singers mit der der Zionistin Hannah Shapiro (➻ SB S. 93), die vor den Nazis floh und in Israel eine neue Existenz aufbaute!

Singer: ______________________________

____

Shapiro: ______________________________

____

Dein Reich komme ...

Das Kapitel ist um einige zentrale Aussagen der Bergpredigt herum aufgebaut. Das Matthäus-Evangelium überliefert uns in drei Kapiteln Worte Jesu in Gestalt einer Predigt. Darunter befindet sich auch das Vater-unser-Gebet, dem auch der Titel dieses Kapitels entnommen ist. Der Grundgedanke der Bergpredigt findet sich in der Darstellung in SpurenLesen wieder: Jesus verheißt uns, dass mit seiner Ankunft das Reich Gottes begonnen hat. Mit diesem Geschenk dürfen wir alle die Hoffnungen verbinden, die wir als Einzelne, aber auch als Zeitgenossen in einer bedrohten Welt haben. Diese Hoffnung gilt ganz besonders „den Mühseligen und Beladenen“. Wenn Menschen sich von der Reich-Gottes-Idee anstecken lassen, dann können sie – bildlich gesprochen – *zum Salz werden*, das der Welt Geschmack gibt und Würze. In der Szene aus der auch als Film bekannten Geschichte vom „Club der toten Dichter“ findest du eine Situation aus der Welt der Schule, die die Frage aufwirft, wie sich ein „Salz-Mensch“ hier verhalten soll.

- Anhand des Titelbildes und des Liedes (➞ SB S. 98/99) kannst du Ideen und Bilder sammeln, wie du dir das „Reich Gottes“ vorstellst. Die kleine Geschichte zeigt dir, dass es sinnvoll ist, auch darüber nachzudenken, wie denn die kleinen Anfänge für all die großen Wünsche aussehen könnten.
- Das Bild von Harry Moyaga zeigt, wem zu allererst die Verheißungen des Reiches Gottes gelten. Der Text aus dem Lukasevangelium und die Auslegung von Ingo Baldermann machen deutlich, dass die Nöte der einen offensichtlich mit dem Verhalten der andern zusammenhängen (➞ SB S. 100).
- „Was kann Salz bedeuten?“ Für die Beantwortung dieser Frage können dir das Bild und die kleine Geschichte (➞ SB S.102) eine Hilfe sein.
- Mit den Informationen auf den Seiten (➞ SB S. 104/105) kannst du einige Charakteristika von Gandhi und Bonhoeffer herausarbeiten. Weitere Informationen findest du dazu in Lexika und anderen Büchern.
- Die Szene aus dem „Club der toten Dichter“ (➞ SB S. 106/107) kannst du als Entscheidungsspiel nachspielen. Du kannst auch einen Antwortbrief formulieren, indem du als Todd dein Verhalten rechtfertigst. Überlege wie Todd sein Leben in das Baumbild eintragen würde! Wo wäre sein jetziger Ort? Wie wird es weitergehen?

Selig/Kommunion der leeren Hände (SB S. 100/101)

Verheißung bzw. Drohung	Wem gilt sie?	Welchen Inhalt hat sie?
1. Freut euch	Arme	Gottes neue Welt
2. Freut euch		
3.		
4. …		
1.		
2.		
3.		
4.		

1. Lies zunächst die Geschichte von den Gefangenen in Südamerika (SB S. 101). Fülle dann die Tabelle aus. Wie hängen Freudenbotschaft und Weherufe zusammen?
2. Zum Bild von Moyaga:
   a) Beschreibe die Situation des Mannes in der unteren Bildhälfte!
   b) Wem könnten die Augen gehören? Wie sind sie dargestellt?
   c) Wie stellt der Künstler die Sonne dar? Was könnte das bedeuten?
   d) Wie passt das Bild zu den Worten des Lukas-Evangeliums?

Mahatma Ghandi (SB S. 103)

Prägend für Mahatma Ghandi waren seine Erfahrungen als Inder in Südafrika:

Gandhis Erfahrungen in Südafrika

Der Augenblick seiner Entscheidung war für Gandhi im ersten Jahr in Südafrika gekommen, als seine Arbeit für Dada Abdulla ihn mit Eisenbahn und Kutsche quer durch den Staat Natal führte. Europäische Siedler in Südafrika fuhren immer 1. Klasse. Inder hatten 3. Klasse zu reisen, aber Dada Abdulla hatte einen Erste-Klasse-Sitz für Gandhi reservieren lassen. Er machte es sich im Abteil bequem und reiste ungestört bis zur Hochgebirgsstadt Maritzburg, die er abends erreichte. Dort kam ein weiterer Reisender, ein Europäer, ins Abteil. Er schaute nur einmal auf den dunkelhäutigen Mann, der dort saß, ging fort, und kam mit einigen Eisenbahnbeamten wieder. „Verschwinde hier!", meinte einer von ihnen spitz. „Verzieh dich in die 3. Klasse!"

„Aber ich habe eine Fahrkarte für dieses Abteil", wandte Gandhi ein.

„Das macht nichts. Du hast zu verschwinden, oder wir holen die Polizei, um dich rauszuwerfen."

„Nur zu!", stimmte Gandhi hitzig zu. „Aber da ich das Recht habe, hier zu bleiben, weigere ich mich, freiwillig auszusteigen!"

Also kam ein Polizist, und Gandhi wurde aus dem Zug geworfen; sich selbst überlassen verbrachte er die Nacht in der verlassenen, unbeleuchteten Bahnstation von Maritzburg. Sein Mantel und sein Gepäck waren mit den Beamten verschwunden. Es war bitter kalt. Er saß da, allein, in der Dunkelheit zitternd, aufgebracht um die Einsicht ringend, wie Menschen Vergnügen oder Befriedigung daran finden konnten, anderen Leid zuzufügen. Es war nicht sein eigenes Verletztsein, seine Erniedrigung, die ihn aufbrachte; es war das viel tiefer sitzende Krebsgeschwür der Unmenschlichkeit von Menschen gegen Menschen, die Verfolgung ganzer Rassen wegen ihrer Hautfarbe oder ihres Glaubens.

Als der Morgen kam, war ihm klar, dass es Feigheit gewesen wäre, nach Indien zurückzukehren. Er würde bleiben müssen; da gab es kein Sichabwenden. Er war aufgefordert zu handeln. Der Mann, der unfähig war, zur Förderung seiner eigenen Karriere vor Gericht zu sprechen, sollte in sich selbst die Kräfte finden, wirkungsvoll zu sprechen, zu schreiben und zu organisieren, um die Not anderer zu lindern.

„Ich lehne Gewalt ab, weil das Gute, das sie zu bewirken scheint, nicht lange anhält; dagegen ist das Schlechte, das sie bewirkt, von Dauer."

„Ich glaube nicht an schnellen Erfolg durch Gewalt ... Egal, wie sehr ich mit einer Sache einverstanden bin und edle Motive bewundere, bin ich doch ein kompromissloser Gegner gewaltsamer Mittel, selbst wenn sie dem edelsten aller Zwecke dienen ... Die Erfahrung hat mich davon überzeugt, dass nichts dauerhaft Gutes das Ergebnis von Unwahrheit und Gewalt sein kann."

(Aus: E. Easwaran, Der Mensch Gandhi, Herder/Freiburg, S. 40–44, Auszüge)

1. Welche rechtlichen Bestimmungen gelten für die Benutzung der Eisenbahn?
2. Welches Problem, dass ihn bisher an der wirksamen Ausübung seines Berufs als Anwalt gehindert hatte, löste sich beim Einsatz Gandhis für andere?
3. Welche Kampfform entwickelte Gandhi gedanklich in dieser Nacht auf dem Bahnhof?
4. Was war der Grund für den Salzmarsch?
5. Was wollte Gandhi damit erreichen?
6. Wie verlief der Marsch?
7. Welche Rolle spielt in ihm das Salz?
8. Wo gibt es Bezüge zum Wort der Bergpredigt?

Ich aber sage euch, ... (SB S. 104)

1. Wie kommt Gandhi zur Beschäftigung mit der Bibel?
2. Welche Erfahrungen macht er mit ihr?
3. Warum spricht Gandhi diese Bibelstelle an?
4. Was war das für ein Mensch, den die Bergpredigt Jesu und besonders diese Bibelstelle so sehr ansprach und der zu einem der bedeutendsten Männer unseres Jahrhunderts wurde?
5. Welche Erfahrungen führten dazu, dass diese Stelle in seinem Leben eine große Bedeutung gewann?

Dietrich Bonhoeffer:

- Wie charakterisiert der Vikar Bonhoeffer?
- Worüber wundert er sich?
- Ist dies heute auch noch verwunderlich?

Mahatma Ghandi:

- Wo gibt es Übereinstimmungen zwischen dem Gandhi-Text und dem Text von Bonhoeffer ?

Gandhi und Bonhoeffer

Im Sommer 1934 hat Dietrich Bonhoeffer in London Madeline Slade, die Tochter eines englischen Admirals, reden hören. Sie nennt sich inzwischen Mira Bai, ist eine Mitarbeiterin Gandhis und hat in Indien einen alternativen Lebensstil gefunden. Gandhi und seine Anhänger leben besitzlos und gewaltfrei und haben aus dieser Freiheit heraus Formen gewaltlosen Widerstands entwickelt, die der Kolonialmacht England schwer zu schaffen machen. Dietrich will die Methode Gandhis vor Ort kennen lernen. Er ist damals noch der Meinung, dass diese Form der Opposition auch gegen die Naziregierung möglich sein könnte.

Diese Bereitschaft, gewaltfrei Widerstand zu leisten und dafür, wenn es sein muss, zu leiden, will Dietrich für sich lernen und auch seiner Kirche nahe bringen. Für ihn ist das der Prüfstein dafür, ob man die Botschaft der Bergpredigt ernst nimmt oder nicht. Sie rückt immer mehr in das Zentrum seines Denkens. Und zugleich ist sie das Eigentliche, was ihn mit Gandhi verbindet; Gandhi, der fromme Hindulehrer, hat später einmal die Berpredigt Jesu als den Kern seiner eigenen Lehre bezeichnet.

Dass aus der Indienreise nichts wurde, hat Dietrich immer bedauert. Umso mehr nutzt er die verbleibende Zeit in England zur Erarbeitung eines Standpunkts und eines Konzepts für die Arbeit, die ihn in der Heimat erwartet. Er entwirft die ersten Kapitel eines neuen Buches: Die „Nachfolge" soll eine neue Auslegung und Aktualisierung der Bergpredigt werden. Er fragt mit einer für viele ungewohnten Heftigkeit nach der heutigen Bedeutung ihrer Botschaft; und er behauptet die Verbindlichkeit ihrer Gebote. *(Aus: Renate Wind, Dem Rad in die Speichen fallen, Beltz & Gelberg, Weinheim, S. 84–85)*

1. Wie ist Bonhoeffers Verhältnis zu Gandhi?
2. Inwiefern hängt Bonhoeffers Interesse für die Bergpredigt damit zusammen?

Das alles bist du/Schuldig aus Liebe zum Nächsten? (SB S. 105)

1. Versuche mit eigenen Worten wiederzugeben, was Bonhoeffer in seinem Buch „Nachfolge" zum Umgang mit dem Bösen sagt!
2. Auf welches Beispiel aus der Praxis Gandhis kann er zurückgreifen?
3. Warum ist Bonhoeffer im Laufe des Krieges bereit, von seinem konsequenten Weg der Gewaltlosigkeit abzurücken? Bedenke dabei, wer in den verschiedenen Konfliktsituationen jeweils der Gegner ist! Wo siehst du wesentliche Unterschiede zwischen England als Kolonialmacht in Indien und der nationalsozialistischen Herrschaft, zumal während des 2. Weltkrieges? Welche Rolle kann die Öffentlichkeit in beiden Fällen spielen?

Die Bergpredigt stellt eine Sammlung von Jesusworten innerhalb des Matthäusevangeliums dar. Bei Lukas sind diese Aussagen über mehrere Stellen verteilt zu finden.

Im Zentrum steht die Botschaft vom „Reich Gottes", das mit Jesu Auftreten begonnen hat. Die Christinnen und Christen, die von dieser Botschaft berührt sind, bemühen sich selbst um diese „bessere Gerechtigkeit", um so die Reich-Gottes-Botschaft weiterzugeben. Da diese „Nachfolge Jesu" im Einzelfall nicht einfach ist, steht im Zentrum der Bergpredigt das Vater-unser-Gebet, in dem wir immer wieder darum bitten, dass „Gottes Reich komme".

Die Radikalität der Bergpredigt hat immer wieder dazu geführt. dass Christinnen und Christen gefragt haben, ob die Forderungen nicht nur für besonders fromme Menschen (z. B. Mönche und Nonnen) gelten können. Doch von einer solchen Einschränkung ist nirgends die Rede. Auf der anderen Seite waren die Worte der Bergpredigt immer wieder Anstoß für Menschen, im Namen Jesu Partei zu ergreifen und sich für diese Sache einzusetzen, wie dies etwa bei Dietrich Bonhoeffer der Fall war.

Was bringt mir Jesus?

Von Jesus, dem Mann aus Nazareth, der etwa vor 2000 Jahren in Israel gelebt hat, bekannten und bekennen Millionen Menschen, dass er der Christus ist, der von Gott gesandte Messias. In dieser Unterrichtseinheit geht es deshalb weniger um historische Umstände seines damaligen Auftretens, sondern darum, was Jesus Christus für heutige Menschen bedeuten kann.
Dies lässt sich untersuchen

- angesichts der Äußerungen heutiger Jugendlicher (➻ SB S. 109),
- anhand von Bildern moderner Maler wie Gauguin oder Baselitz (➻ SB S. 108/112),
- in Gesprächen über das Weihnachtsfest und darüber, wem wir im Kind in der Krippe begegnen (➻ SB S. 110/111),
- mittels eines Gedankenexperiments, wie es denn wäre, wenn Jesus heute wiederkäme und uns in unserem Alltag aufsuchte (➻ SB S. 113),
- in der Wahrnehmung, wie heutige Menschen in Lateinamerika die Bedeutung Jesu sehen (➻ SB S. 115),
- beim Betrachten einer Ikone zum Thema Auferstehung (➻ SB S. 116),
- beim Meditieren des Taizéliedes oder der Äußerungen der Theresa von Avila (➻ SB S. 117).

Zum Bild von Paul Gauguin „Selbstbildnis mit dem gelben Christus" (SB S. 108)

1. Stilles Sehen: Entdeckungen am/im Bild: Was mir spontan einfällt.
2. Wie ist das Bild „gebaut"? – Bildelemente, kompositorische Anordnung, Farbwahl, Flächenanteile?
3. Was löst das Bild in mir aus? Woran erinnert es mich? Welche Gefühle verbinde ich mit dem Bild? Was ist anziehend, was abstoßend?
4. Wo ist mein Platz auf diesem Bild? – Wo finde ich mich am ehesten wieder und warum?
5. Was kann das Bild bedeuten? Was wollte der Künstler ausdrücken?
6. Dem Bild eine passende Überschrift geben!
7. Formuliere den Text einer Sprechblase für den Maler, der sich auf dem Bild zusammen mit dem gekreuzigten Christus gemalt hat.

Wer ist Jesus Christus für dich? (SB S. 109)

Fragen zur Analyse der Schülertexte:

1. Welche Bilder von Jesus haben/machen sich die einzelnen Schülerinnen und Schüler?
2. Wie ist ihr Verhältnis zu Jesus?
3. Welche Erfahrungen haben sie wohl gemacht?
4. Was erhoffen sie sich von Jesus?
5. Sind die Schülerinnen und Schüler von Jesus enttäuscht – und woran zeigt sich das?
6. Welche Probleme haben sie mit Jesus?

Ikonen – Christusbilder aus der orthodoxen Kirche (SB S. 116)

In den orthodoxen Kirchen gibt es bis heute Maler, die Bilder von Christus, Maria und Heiligen anfertigen. Sie beachten dabei besondere Vorschriften. Die Bedeutung dieser Bilder lässt sich gut erkennen anhand eines Weihegebetes, wie es nach der Vollendung einer Ikone gesprochen wird:

„Nicht haben wir das Bild erstellt, um es zu einem Gott zu machen, sondern wir wissen, dass die dem Bild erwiesene Ehre auf das Urbild übergeht; deshalb flehen wir unablässig zu dir: Blicke gnädig auf uns herab und auf dieses Bild um der Fleischwerdung Deines Sohnes willen und seiner Erscheinung bei uns, um deren Gedenken wir ja das Bild angefertigt haben, sende uns deinen himmlischen Segen herab und die Gnade des allheiligen Geistes, und segne und heilige das Bild; schenke ihm heilende Kraft. Gewähre diesem Bilde, durch seine Kräfte und Wunder zur Befestigung des orthodoxen Glaubens beizutragen und zum Heil deiner Gläubigen, auf dass alle, die vor ihm dich und deinen eingeborenen Sohn und den allheiligen Geist anbeten und gläubig anrufen, in ihrem Gebet immerdar erhört werden und das Erbarmen deiner Menschenliebe erlangen und die Gnade empfangen."

(aus: Wilhelm Nyssen, Der geistliche Sinn der russischen Ikonen; in: Ikonen und geistliches Kultgerät aus rheinischem Privatbesitz. Köln, Schnüttgen Museum o. J. S. 11–13, gekürzt)

Die Ikonenmaler versuchen nicht wie moderne Künstler einen möglichst individuellen Charakter für ihre Bilder zu erreichen, sondern die Tradition zu bewahren, wie sie auch durch die Vorlagen gegeben sind.

☑ Beschrifte die Abbildung. Die folgenden Betrachtungshinweise zur Auferstehungsikone (➽ SB S. 116) helfen dir dabei.

Hinter Christus, der zentralen Figur, ist in Türkis eine sog. Aureole zu erkennen. Diese soll seine Zugehörigkeit zum Göttlichen dokumentieren. Das Kreuz, auf dem Christus steht, stammt aus zerbrochenen Stücken des Tores zur Unterwelt. Die Schriftrolle in seiner Linken enthält die Predigt, die Christus in der Unterwelt zu halten beabsichtigt. Mit der rechten Hand zieht er Adam, den ersten Menschen, aus dem Grab. Im zweiten Sarg sehen wir die anbetende Eva. Hinter Adam stehen mit ihren Kronen die alttestamentlichen Könige David und Salomo. Der Mann neben ihnen soll Johannes der Täufer sein. Der Mann mit den Gesetzestafeln hinter Eva ist Mose, neben ihm zwei alttestamentliche Heilige.
Diese Darstellung ist das traditionelle Osterbild der orthodoxen Kirche. Es soll an Christi Abstieg in die Unterwelt und die Befreiung zur Auferstehung erinnern, die mit dem ersten Menschenpaar beginnt. In einem Lied der österlichen Liturgie heißt es dazu:
„Du stiegst hinab in die Tiefen der Erde und zermalmtest die ewigen Riegel, der Gefesselten Ketten, o Christus, und am dritten Tage, wie aus dem Meerungetüm Jonas, standest du auf aus dem Grabe …"

Ikone, © Friedrich Verlag

Über den Tod hinaus

Das Kapitel enthält drei Themenaspekte: 1. Mit dem Tod spielen – den Tod verdrängen; 2. Erfahrungen mit dem Tod; 3. Über den Tod hinaus.

Das Eröffnungsbild heißt ‚Paganini'; es spielt an auf die „Teufelstriller", die virtuosen Violinstücke des berühmten Geigers Paganini, die einen fast um den Verstand bringen. Vielleicht vermittelt die betörende Geigerin Vanessa Mae etwas von der „Wahnsinnsmusik" Paganinis. Paganini liegt als Toter mitten im Bild. Der Teufel geigt. Beide sind durch ein Rechteck teilweise verborgen. Links kreisen Totenköpfe in einem weißen Tornado. Hakenreuze fliegen dazwischen. Der Künstler malte das Bild als spiritistische Beschwörungen. Der Teufel beschwört mit Paganinis Musik den Totengeist herauf. In diesem Wirbel kreisen Tod, Wahnsinn. Ein irres Spiel!

- Das Märchen vom Gevatter Tod bringt den Tod als Paten, als gerechten Mächtigen, als Herrn über Leben und Tod ins Spiel (➽ SB S. 118/119). Auch hier wird getrickst. Wer kann den Tod überlisten? Die Mitschüler von Christoph sind fassungslos über dessen plötzlichen Tod (➽ SB S. 120/121). War es Selbstmord – oder ein Spiel mit dem Tod? Unbeholfen und sprachlos angesichts des Todes auch die beiden Menschen auf dem Bild. Titel: „Gespräch über den Tod" (➽ SB S. 121).
- Schon das Bild von Brodwolf reduziert den Menschen auf seine „sterbliche Hülle" (➽ SB S. 122). Er nennt es „Drei Liegende". M. Commercon schildert einfühlsam das Sterben seines Freundes (➽ SB S. 123/125). Viele kennen das Buch von Ch. und I. Zachert, „Wir sehen uns wieder im Paradies". Es eignet sich als Referat zu diesem Abschnitt.
- Das Bild von M. Denis „Die Frauen am Grab" ist bemerkenswert in seiner figürlichen Klarheit und seiner durchsichtigen Offenheit (➽ SB S. 126). Es bleibt auf der Grenze zwischen „sehen" und „glauben", so wie die Erzählung aus Johannes 20, die du dazu lesen solltest. J. Gaarder beschreibt das Sterben der 15-jährigen Cecile und lässt dieses Sterben transparent werden für eine Begegnung mit Ariel, die in eine andere Welt führt (➽ SB S. 126/127). Hier lassen sich weitere Deutungen des Lebens nach dem Tode anfügen aus den großen Religionen, z. B. in Ägypten, Griechenland, Indien. Sicher findest du selbst weitere Sichtweisen.
- Das letzte Bild heißt „de profundis" (➽ SB S. 128). Das lateinische Wort zitiert den Psalm 130: „Aus der Tiefe rufe ich, Herr, zu dir. Herr, höre meine Stimme ..." Rouault hat das Bild auf dem Hintergrund des Elends zweier Kriege zwischen Deutschland und Frankreich gemalt.
- Das Lied von Ch. Gellert ist eines der bekanntesten Beerdigungslieder (➽ SB S. 128). Seine einfache Sprache prägt sich leicht ein. Ein anderes Lied ist inzwischen auch auf Beerdigungen oft gespielt worden: „Tears in heaven" von E. Clapton. Er schrieb es für seinen kleinen Sohn. Ihr könnt solche Lieder vorspielen, singen, besprechen und euch über eure Erfahrungen mit Beerdigungen austauschen.

Anschließend solltest du darstellen können:

1. Beispiele für das Verdrängen des Todes. Die Verdrängungsthese Bruckners.
2. Das Märchen vom Gevatter Tod und seine Wahrheiten.
3. Ursachen für die Selbstmordgefährdung in Übergangsphasen des Lebens und die These von J. Hillman.
4. Einzelne Phasen des Sterbens am Beispiel der Geschichte von M. Commercon nach E. Kübler-Ross.
5. Stationen aus dem Leidensweg Jesu.
6. Auffassungen, die über den Tod hinausführen nach der Übersichtsskizze.
7. Das Lied von Ch. Gellert (V. 1).
8. Die Metapher vom Korn im ägyptischen Mythos und bei Paulus.

Den Tod austricksen (SB S. 118–121)

☑ Die Wahrheit im Märchen: Lest es ganz vor (Grimms Märchen, KHM 44). Verteilte Beobachtungsaufgaben: Beschreibe Gott, den Teufel, den Tod, den armen Mann. Diskutiert: Ist der Tod ein Lehrmeister – im Märchen, im richtigen Leben? Im Märchen wird getrickst. Wie geht das zu, wer gewinnt? Was sagt das Märchen damit über die Heilkunst und die Haltung zum Tod aus? Worin liegt die Wahrheit des Märchens?

Wie jener Arzt im Märchen möchte der Mensch dem Tod ein Schnippchen schlagen. Einer der bekannten Tricks ist das Phantom der ewigen Jugend. Diskutiert die These des französischen Philosophen Pascal Bruckner aus seinem Bestseller „Ich leide, also bin ich“:

> 📖 „Einer der Mythen von heute ist der amerikanische Popstar Michael Jackson, der alles darauf anlegt, ein Engel zu werden, ein Mensch vor dem Sündenfall. Er arbeitet heftig daran, den doppelten Fluch des Alters und der Rasse zu entfernen ... Dieser wahnwitzige, an Faust erinnernde Verjüngungsversuch des Sängers bringt zum Ausdruck, wie sehr die Menschen heute auf ewige Jugend aus sind, wie groß ihre Sehnsucht nach Unsterblichkeit ist. ‚Bald ist Schluss mit dem Altern‘ titelte eine Illustrierte. Eine unglaubliche Nachricht ...“ (S. 110)

☑ 1. Referat über „Die Sache mit Christoph“, dtv-TB Nr. 7811.

2. Diskutiert folgende Aussagen:

> 📖 1. In Übergangsphasen, z. B. Jugend oder Eintritt ins Rentenalter, geschehen die meisten Selbstmorde. Jugendliche unternehmen mehr Selbstmordversuche.
> 2. Der englische Psychoanalytiker James Hillman: Der Selbstmordimpuls ist ein Wandlungstrieb. Er will sagen: „Das Leben so wie es jetzt ist muss anders werden. Etwas muss aufhören“. Der Selbstmord sagt: Ich kann mit mir nicht mehr weiterleben. Aber vielleicht kann das Ich sich ändern, vielleicht kann die Einstellung zum Leben sich wandeln – anstatt sich auszulöschen?

Erfahrungen mit dem Sterben (SB S. 122–125)

☑ Schildere die Phasen der Sterbegeschichte. Suche passende Stichworte von der Forscherin Kübler-Ross:

Mein Freund Wolfgang: – Phasen bei Sterbenden:

> 📖 Prof. E. Kübler-Ross fand aufgrund tausender Protokolle vom Sterben u. a. folgende Phasen des Sterbeprozesses heraus:
> 1. Nichtwahrhabenwollen und Isolierung,
> 2. Zorn, Aggressionen gegen die Umwelt,
> 3. Verhandeln mit dem Schicksal,
> 4. Niedergeschlagenheit, Trauer,
> 5. Zustimmung

☑ Wie hat Marcus den Weg seines Freundes erlebt und empfunden?

____

____

☑ Informiere dich über die Stationen der Geschichte des Todes Jesu nach Matthäus 26–28.
Ordne die Bilder auf S. 121–126 in diese Geschichte ein.

„Über den Tod hinaus" (SB S. 126–128)

Vom Sehen

📖 In aller Frühe – was mag das für eine Nacht gewesen sein? – beim ersten Morgengrauen also machen sie sich auf den Weg zum Grabe, drei Frauen: Maria, die auch Magdalena heißt, Maria, die Frau des Jakobus, und Salome. Sie gehen in dem Gefühl, sie dürften keine Zeit verlieren – aber warum eigentlich? Sie fürchten den entstellten Anblick des Toten im Grabe, sie fürchten noch mehr, dass das Grab ihnen den Zugang nicht freigibt: Ein riesiger Stein hat das Grab verschlossen. Davon sprechen sie unterwegs: Wer wälzt uns den Stein aus dem Eingang des Grabes? Ihre Augen haften am Boden; sie haben Mühe, den Weg zu erkennen. Dann schauen sie auf und sehen vor sich das Grab, der Stein ist fort und der Eingang offen … Menschen in so unmittelbarer Nachbarschaft des Todes nehmen mehr wahr als andere. Niemand wird einem dort widersprechen, wenn er davon spricht, der Engel des Todes sei gegenwärtig. Sie finden den Toten nicht, aber sie sagen, im Grab habe ein Bote auf sie gewartet, dies sei seine Botschaft: Jesus von Nazareth sucht ihr, den sie gekreuzigt haben? Er ist auferweckt worden … er geht vor euch her nach Galiläa.

Allem hatten sie standgehalten, jetzt aber zerbricht ihre Fassung. Sie sehen genau die Stelle, wohin sie den Toten gelegt hatten. Sie verlassen das Grab wie im Traum, zittern am ganzen Leib und beginnen zu laufen, atemlos laufen sie davon … Doch wer wird ihnen glauben?

Nacherzählung: Ingo Baldermann.

☑ Beschreibe das Bild von Maurice Denis:

Was sagt Ariel vom „Sehen und Spiegeln"? Trage ein.

☑ 1. Vergleiche zur Geschichte von Cecilie „Nahtod-Erlebnisse". Was sahen die Menschen, die für kurze Zeit tot waren?

2. Beschrifte die Handskizze zu Rouault. Verwende dazu den Titel „De profundis" („Aus der Tiefe rufe ich Herr zu dir …") oder das Lied.

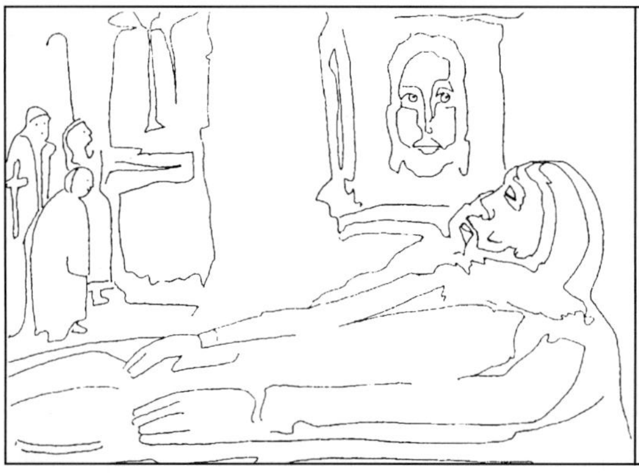

☑ Über den Tod hinaus … Stelle in Thesen zusammen:

S. 126: Die Frauen sahen:	S. 128: Rouault malt:
S. 127: Cecile sah:	S. 129: Das Lied sagt:
Ariel sagte:	NN (meine Oma z. B.) sagt:
Ich denke:	
Ägypter:	Paulus:

Das Korn – Metapher für Kreislauf und Neue Schöpfung

Noch heute zeigen die Pyramiden mit ihren eindrucksvollen Bildern, wie die ägyptische Kultur vom Jenseitsglauben dachte: Die Sonne, Ursprung des Lebens, ist auch Ziel des Totenschiffs, wenn es die Einbalsamierten über den Nil ins Totenreich bringt. Auf dem Schiff findet das Totengericht statt, indem auf einer Waage das Herz des Toten gegen die Wahrheit aufgewogen, erlöst oder dem seelenfressenden Krokodil vorgeworfen wurde. Das Einbalsamieren in Natronlauge war zugleich eine Verewigung und Vergöttlichung des Toten (‚n-t-r', ägypt. heißt ‚Gott', ‚göttlich' und ist noch heute ein ägyptisches Fremdwort bei uns: ‚Natron'). Bei der Zeremonie wurden auch Körner, Blumen und Blumenzwiebeln eingewickelt und der Leichnam wurde so zu Osiris. Er wurde auch der ‚Herr der Verwesung und des üppigen Grüns' genannt. In einem ägyptischen Spruchtext sagt der Tote von sich:

‚Ich lebe, ich sterbe … ich falle nieder, die Götter leben immer, ich lebe im Korn, ich wachse als Korn, das die Ehrwürdigen einbringen. Mich bedeckt der Erdgott. Ich lebe, ich sterbe, ich vergehe nicht.'

‚Osiris' – zu deutsch ‚Korn' – war Gott des Sterbens und der Wiedergeburt. Eine Geschichte erzählt, er sei von seinem Bruder Seth ermordet und in Stücke geschnitten worden. Seine Schwester Isis habe diese Stücke in den Nilschlamm gesteckt und so sei er wiedergeboren worden. Ein Brauch wiederholt diesen Mythos: Feuchte Erdklumpen wurden mit Saat-Körnern und Nil-Schlamm vermengt. Daraus wuchs Korn, das zu Brot gebacken werden konnte. Unsere Kresseschalen, die im Frühjahr auf Fensterbänken keimen, längst bevor im Garten etwas wächst, sind späte Ausläufer dieses Osiris-Gedankens.

Korn und Gerste sind ein Symbol für Werden und Vergehen. Rigoberta Menchú erzählt von den ‚Maismenschen', und im asiatischen Raum gilt der Reis als ein Symbol für den Menschen schlechthin.

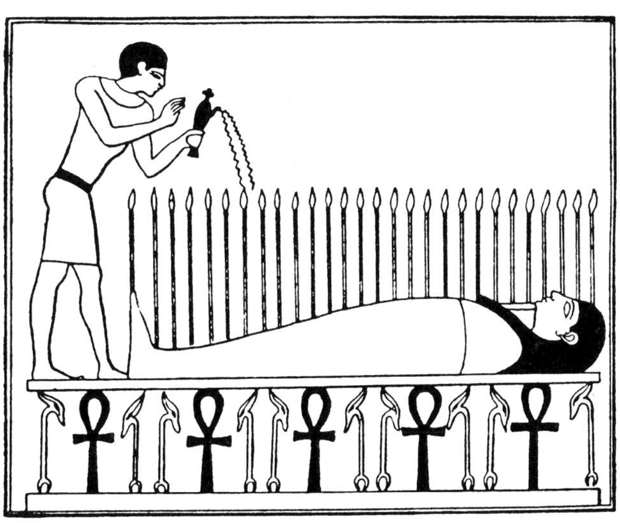

☑

1. Beschreibe den Namen und die Bedeutung von „Osiris".
2. Vergleiche „Osiris" und „Jesus": Joh 12, 24 ff. I. Kor 15, 25 ff. Johannes 6, 22–35.
3. Wo sind vegetative Symbole bei uns noch lebendig?

Kornmumie. Aus dem toten Osiris sprießt neue Getreidesaat. (Aus: Marie-Louise von Franz: Traum und Tod. Was uns die Träume Sterbender sagen. München 1984, S. 32)

Bilder von Schrecken und Hoffnung

Schrecken und Hoffnung sind zwei Aspekte des Lebens, die wohl jedem Menschen bekannt sind. Zu welchen Anteilen unser Leben einerseits aus Schrecken, andererseits aus Hoffnung besteht, ist aber bei jedem verschieden. Manchmal werden die Bilder des Schreckens so übermächtig, dass jegliche Hoffnung fehl am Platz scheint. Mit dieser verzweifelten Situation haben sich schon biblische Schriftsteller, z. B. Johannes, der um 100 n. Chr. lebte, auseinandergesetzt. Sie haben versucht, den Schrecken ernst zu nehmen und dennoch die Hoffnung lebendig zu halten.

- Gleich die erste Abbildung (➻ SB S. 129) vereinigt Bilder von Schrecken und Hoffnung. Im Liedtext von Iron Maiden klingt die dunkle Faszination des Schreckens an (➻ SB S. 130). Im Gegensatz dazu zeigt sich in dem Bild und dem Bekenntnis eines/r Jugendlichen die lähmende Macht, die traumatische Erfahrungen ausüben können (➻ SB S. 131).
- Auf den ➻ Seiten 132–136 solltest du dich auf Spurensuche begeben: Inwiefern dringen hier Spuren der Hoffnung in die Situationen des Schreckens? Die Geschichte auf ➻ S. 132 spielt um 100 n. Chr. im Gebiet der heutigen westlichen Türkei, die Geschichte auf ➻ S. 136 während des 2. Weltkrieges.
- Der nächste Abschnitt (➻ SB S. 137) beschäftigt sich mit der Frage, wie Menschen von Ängsten und schrecklichen Erfahrungen sprechen können, obwohl sie eigentlich die Sprache übersteigen. Dazu wird dir ein Verfahren vorgestellt, das biblische Schriftsteller vor mehr als 2000 Jahren in der sogen. „Apokalyptik“ benutzt haben.
- Am Ende stehen biblische Bilder der Hoffnung. Das Bild (➻ SB S. 139) ist in manchen Ausgaben des Schulbuches leider abgeschnitten. Es zeigt eigentlich auf der rechten Seite eine weitere Mauer mit drei weiteren Aposteln.

Nachdem du das Kapitel durchgearbeitet hast, solltest du Folgendes beantworten können:

1. Wie können Bilder des Schreckens auf uns wirken?
2. Nenne unterschiedliche Reaktionen von Menschen auf schreckliche Erfahrungen.
3. In welcher Situation befanden sich die Christen im Jahr 100 n. Chr. in der heutigen westlichen Türkei?
4. Auf welche Art und Weise versucht die „Apokalyptik“ Menschen zu erreichen, die um sich herum nur noch Schreckensbilder sehen?
5. Welches Verfahren benutzt Johannes um vom Bösen, das eigentlich unser Vorstellungsvermögen übersteigt, zu sprechen?
6. Welche Hoffnungsbilder benutzt Johannes? Was sollen diese Bilder ausdrücken?

Das, was du mir angetan hast (SB S. 131)

Lies dir das Gedicht „Das, was du mir angetan hast“ sorgfältig durch. Es ist durch ein Projekt zustandegekommen, bei dem junge Leute in Zeitungen und Zeitschriften dazu aufgefordert wurden, Geschichten über Gewalt zu schreiben.

1. Wie fühlt sich das „Ich“?
2. Was könnte dem „Ich“ passiert sein?
3. Inwiefern ist das „Ich“ gefangen? (Vgl. dazu auch das Bild über dem Gedicht, ➻ SB S. 31)
4. Warum will (oder kann) er/sie nicht erzählen, was passiert ist?

The Number of the Beast (SB S. 131)

Oft ist es für die Menschen schwierig, über schlimme Erfahrungen, die sie selber gemacht haben, zu sprechen. Sie haben das Gefühl, dass sich das, was sie erlebt haben, nicht so weitererzählen lässt, dass andere Menschen wirklich verstehen, was sie meinen. Die Apokalyptik versucht, dennoch vom Bösen zu reden. Um zu zeigen, dass es sich hierbei um etwas handelt, das außerhalb des Alltäglichen, Normalen liegt, lässt sie Monster auftreten. Denn auch Monster gehören ja nicht zum Alltag. Diese Monster stehen für das, was uns bedroht und Angst macht.

Bei Johannes ist das vor allem der römische Staat mit seinem Kaiser. Die Zahl 666, die er dem Tier zuordnet, stellt ein Zahlenrätsel dar, bei dem bestimmte Buchstaben in bestimmte Zahlen „übersetzt“ werden. Da man nicht weiß, ob Johannes das griechische oder das hebräische Alphabet zugrunde legt, ist man sich nicht ganz sicher, auf welchen Kaiser Johannes hier anspielt.

1. Auch in modernen Horrorfilmen treten oft Monster auf. Welche Parallelen gibt es hier zu dem Verfahren, das Johannes anwendet, wo liegen Unterschiede?
2. Die Gruppe Iron Maiden stellt in ihrem Lied „The Number of the Beast" das Tier des Johannes ins Zentrum. Vergleiche auch hier die Art und Weise, wie Johannes von dem Tier redet und wie die Gruppe von dem Tier redet.
3. Welche Aussage macht Johannes über den Kaiser, indem er dem Tier die Zahl 666 zuschreibt?
4. Wie interpretiert die Gruppe Iron Maiden die Zahl 666?

Auch in der Danielapokalypse, die etwa im Jahre 167 v. Chr. fertiggestellt wurde, treten Monster auf. Hier treten sogar vier Tiere auf, die die Schrecken unter vier aufeinander folgenden Regierungen symbolisieren. Johannes, der gegen Ende des ersten Jahrhunderts n. Chr. schreibt, hat die Danielapokalypse gekannt.

5. Vergleiche die Texte Daniel 7,2–7 und Offenbarung 13,1–2 (➼ SB S. 137) und beschreibe, wie sich Johannes bei der Beschreibung seines Tieres traditionelle Elemente aus der Danielapokalypse zunutze macht.
6. Durch die Art und Weise, wie Johannes Elemente aus der Danielapokalypse aufnimmt, will er etwas sagen. Wie lautet diese Aussage?
7. Dürer stellt in seinem Bild den Drachen, also ein weiteres Tier aus der Offenbarung des Johannes, dar. Lies dazu Offenbarung 12,3–4.14. Vergleiche die Schilderung mit der Darstellung Dürers.
8. Vergleiche den Drachen (Offb 12,3–4.14; Dürer) mit dem ersten (Offb 13,1–2) und dem zweiten Tier (Offb 13,11–12). Welche Elemente kehren wieder, was unterscheidet die Wesen? Was will Johannes wohl damit zum Ausdruck bringen, dass er drei so ähnliche „Monster" auftreten lässt?

Erstelle eine Collage. Sammel dazu aus Zeitungen und Zeitschriften Bilder und Texte, die du mit Schrecken verbindest. Gestalte so dein eigenes „Schreckenstier".

Zum Bild vom „Maler von Fitzmillian", um 1480 (SB S. 129)

1. Versuche das Bild möglichst genau zu beschreiben. Achte dabei besonders auf die Farbgebung.
2. Welche Stimmungen und Gefühle löst das Bild bei dir aus?
3. Einige Menschen, die dem Tod sehr nahe gewesen sind, berichten, dass sie sich in einem dunklen Tunnel befanden, an dessen Ende es hell war. Sieht du Parallelen zwischen diesen Erfahrungen und dem Bild?
4. Versuche dich in einen der Menschen hineinzuversetzen, der dem Engel am Ende des Steges entgegengeht. Was mag er empfinden?
5. Dieser Mensch hat im Feuersee vielleicht Erlebnisse, Erinnerungen usw. zurückgelassen, von denen er sich schon immer gern befreien wollte, es aus eigener Kraft aber nicht konnte. Um welche Erlebnisse, Erinnerungen usw. könnte es sich handeln?

Wege und Irrwege

Auf dem Gebiet des Religiösen gibt es die unterschiedlichsten Spuren zu lesen. Die ausgetretenen Pfade, die kirchliche Traditionen und Frömmigkeit anbieten, kommen einem dabei oft langweilig vor verglichen mit den vereinzelten Spuren, die auch einmal vom breiten Weg wegführen in den unbekannten, unüberschaubaren und vielleicht deswegen besonders reizvollen Dschungel exotischer Glaubensformen. Dort ist so mancher Paradiesvogel zu bewundern.

In diesem Kapitel geht es um solche außergewöhnlichen, faszinierenden Spielarten religiösen Lebens. Neben dem Reiz des Besonderen verströmen sie allerdings meistens auch einen irritierenden Hauch von Absurdität und Gefahr – denken wir z. B. nur an gewisse „Sekten". Wir wollen uns mit beidem befassen: der Faszination und der Gefahr von radikaler Religiosität. Dabei wollen wir unser Urteilsvermögen in religiösen Angelegenheiten schärfen.

Die Frage ist also hier nicht einfach: Religion – ja oder nein? Gut oder schlecht? Vielmehr öffnet sich auch die Welt des Religiösen in eine weite, vielfältig verzweigte Landschaft, in der es eine Unzahl von Spuren zu lesen gibt, in der sich auch Sackgassen und Einbahnstraßen und leider auch Irrwege anbieten. Es gehört zum Respekt gegenüber dem Religiösen, auch Menschen zuzuhören, die in solchen Irrwegen Jahre ihres Lebens verbracht haben. Dabei gilt es, ein eigenes Urteil zu finden und nicht einfach die Meinungen oder gar die Denkverbote anderer zu übernehmen. Religiosität muss sich auch messen lassen. Wir schlagen vor, sie am Leben zu messen: Welche Formen führen in die Freiheit, in die Tiefe und Fülle des Lebens hinein? Welche verstellen eher die Freiheit, verhindern eher, dass sich Leben entfaltet und ausbreitet?

Wir gehen davon aus, dass wir von Gott mit den Fähigkeiten ausgestattet wurden, die man braucht um diese Fragen beantworten zu können, und dass wir in der Verantwortung stehen, unseren eigenen Weg auch auf diesem Gebiet zu finden.

Paul Gauguin „Woher kommen wir? Wer sind wir? Wohin gehen wir?" (1897) (SB S. 140/141)

Gauguin, der zunächst als professioneller Börsenmakler in Paris lebte, ging dann als „Aussteiger" nach Tahiti um mit den Einheimischen zu leben und dabei seiner eigentlichen Liebe, der Malerei, nachzugehen. Unser Bild zeigt in Form eines paradiesischen Gartens das künstlerische Vermächtnis Gauguins auf einer vier Meter breiten Leinwand.

Die Südseelandschaft mit den verschiedenen Menschen kann von uns als äußerer Ausdruck einer „inneren Landschaft" betrachtet werden. Angesichts der drei Fragen „Woher kommen wir? Wer sind wir? Wohin gehen wir?" (Blaise Pascal) kann unser Auge über das Bild schweifen und sich einen Ort auf dem Bild aussuchen, an dem wir unsere eigene Grundstimmung einigermaßen wiedererkennen.

Was an dem Bild reizt dich, spricht dich an? Von da ausgehend kannst du eine eigene Phantasiereise durch das Bild antreten und die Landschaft mit deinem Leben füllen, z. B.:

☑ 1. Mit wem möchtest du ein vertrautes Gespräch wie die Figuren rechts im Bild (3) führen?
2. Welches Tier auf dem Bild wäre dein Lieblingstier und was kann dir das sagen?
3. Wo sind Farben, die dich besonders ansprechen? Welche Stimmung geht von ihnen aus?
4. Welche Körperhaltung der Menschen auf dem Bild entspricht am ehesten deinem momentanen Bild von dir selbst? Mit welchen Ereignissen in deinem Leben kann dies zu tun haben?

Das Bild kann auch auf seine Exotik und Fülle religiöser Anspielungen hin abgeklopft werden: Was ist an der religiösen (auch esoterischen, spirituellen) Welt für dich attraktiv und faszinierend?

Gauguin selbst schrieb zu dem Bild: „Unten rechts ein schlafendes Neugeborenes (1) und drei sitzende Frauen (2). Zwei in purpurne Gewänder gekleidete Gestalten (3) vertrauen einander ihre Gedanken an. Eine übergroße sitzende Gestalt (4), die absichtlich die Perspektive durchbricht, hebt ihren Arm über den Kopf und blickt erstaunt auf jene beiden Menschen, die es wagen, über ihr Schicksal nachzudenken. Diese bringen eine schmerzliche Note in das Bild, verursacht durch das Wissen, das sie unter dem Baum der Erkenntnis gewinnen, obwohl die jungfräuliche Natur und die Gegenwart einfacher Geschöpfe ein Paradies für die Menschen böten, wenn diese sich nur dem Glück zu leben überließen. Eine Gestalt in der Mitte des Bildes (5) pflückt eine Frucht ... Ein Idol (6) scheint beide Arme geheimnisvoll und rhythmisch zu erheben, auf das Jenseits zu weisen ... Schließlich ist eine alte, dem Tod nahe Frau (7) zu erkennen, die sich resigniert ihren Gedanken überlässt. Mit ihr endet die Geschichte. Ein seltsamer Vogel (8) zu ihren Füßen bedeutet die Vergeblichkeit aller Worte in der Gegenüberstellung des niederen mit dem höheren Lebewesen in der Gesamtheit des vom Titel verkündeten Problems."

☑ 1. Bist du schon von Leuten angesprochen worden, die für eine religiöse Gruppe werben?
2. Kennst du Mitglieder oder Ehemalige von extremen religiösen Gruppen?
3. Führt eine Befragung bei Passanten durch: Fragt nach Erfahrungen mit extremer Religiosität! Welche Motive sehen die Menschen hinter der Zugehörigkeit zu einer „Sekte"? Wie schätzen sie die Gefahr ein? Welche sog. „Sekten" sind ihnen namentlich bekannt?
4. Fragt Pfarrer/innen und Politiker/innen nach regionalen Besonderheiten der religiösen Szene!

Wann ist eine Religionsgemeinschaft eine „Sekte"?

📖 Es gibt keine objektiven, neutralen Merkmale, mit deren Hilfe man unstreitig die Frage klären könnte, ob es sich bei einer bestimmten religiösen Gruppierung um eine „Sekte" handelt oder nicht. Es ist sinnvoll, wenn die Kirchen miteinander überlegen, welche Gruppen sich gegenseitig als „christliche Glaubensgeschwister" akzeptieren und unter der Perspektive der „Ökumene" (griech. „die Gesamtheit der Christen auf der Welt") zusammenarbeiten, und wo für sie die Grenze liegt zu Lehren oder Lebensformen, die für sie nicht mehr als „christlich" gelten. Heutzutage kann dies aber nicht zu irgendeiner Form der öffentlichen Diskriminierung oder zu Repressalien führen, zudem im juristischen Bereich das Wort „Sekte" keine Rolle spielt. Der Staat spricht nur von religiösen Sondergemeinschaften. Das Recht auf Religionsfreiheit gilt hier selbstverständlich auch. Eine juristische Verfolgung von „Sekten" ist nur möglich, wenn sie durch verbotene Handlungen im strafrechtlichen Sinne gegen die allgemeinen Gesetze verstoßen haben. Es wird immer wieder gefragt, ob auf diese Weise die einzelnen Menschen, die in die Fänge extremer „Sekten" geraten, genügend geschützt werden. Es muss aber juristisch sowohl der Schutz des einzelnen, wie die Freiheit der Religionsausübung berücksichtigt werden.

Sackgassen (SB S. 142–145)

☑ 1. Wie kommt es, dass Steven sich auf die Gruppe einlässt? (aus der Persönlichkeit und Situation Stevens heraus deutlich werden lassen!) (u. ö. ➻ SB S. 143)
2. Wie ist die Gruppe gegenüber Steven vorgegangen? Ist eine „Taktik" erkennbar? (➻ SB S. 142)
3. Versetzt euch in Karolas Lage und schreibt einen Brief an Linda zurück. (➻ SB S. 142)
4. Bedenkt Lindas Reaktionen! Wie wird sie auf Vorwürfe reagieren? Was braucht sie jetzt vor allem?
5. Versuche das Bild von Magritte als Gleichnis zu deuten für das Angesprochenwerden durch Sektenanwerber! (➻ SB S. 142)
6. Kannst du dir vorstellen, dass sich jemand in seinem Leben so in die Enge getrieben sieht? Benenne die Phantasiewesen mit Worten für das, was Menschen bedrückt und fertigmacht! (Bild ➻ SB S. 144)

7. Wo liegt der Unterschied zwischen Freundschaft und Kameradschaft?

8. Was könnte die satanistische Gruppe dazu bewegen, Freundschaften abzulehnen und zu bekämpfen? (➻ SB S. 145)

DIE DOKTRIN IST DIE WIRKLICHKEIT. DIE WELT BESTEHT AUS SCHWARZ UND WEIß, GUT UND BÖSE. ES HERRSCHT STRIKTE ELITEMENTALITÄT. DER WILLE DER GRUPPE STEHT ÜBER DEM WILLEN DES EINZELNEN. UNBEDINGTER GEHORSAM: LERNEN AM FÜHRERPRINZIP. GLÜCKSELIGKEIT DURCH GUTE LEISTUNGEN. MANIPULATION DURCH ANGST UND SCHULDGEFÜHLE. ACHTERBAHNFAHRT IN EMOTIONALEN HOCHS UND TIEFS. KEIN WEG HINAUS. VERLUST DER EINBINDUNG IN VERGANGENHEIT, GEGENWART, ZUKUNFT (IRREALER ZEITBEZUG).

Die Psychologie der „Sekten“

Der Unfall (SB S. 148–150)

1. Versucht die Stichworte auf die Lebensbeschreibung von Steven Hassan anzuwenden.
2. Wo spielen diese psychologischen Taktiken außerhalb religiöser Gruppen eine Rolle?
3. Versuche einen Zusammenhang herzustellen zwischen dem Leben des Steven Hassan vor seinem Unfall und dem Bild „die Schläferin“!

Der „Sektenausstieg“

Im Lauf der Zeit haben sich drei Formen von Ausstieg und Ausstiegshilfe entwickelt.
- Einzelausstieg (sehr schwierig, oft bleiben Schuldgefühle und seelische Verletzungen)
- Deprogrammierung (wird von außen erzwungen, oft mit Hilfe einer Entführung und einer Art „umgekehrten Bewusstseinskontrolle“; das ist juristisch riskant und für den Betroffenen wegen der Überrumpelung psychisch traumatisch!)
- Sanfte Ausstiegsberatung (erfordert Kooperation zwischen professionellen Ausstiegsberatern, Ex-Sektenmitgliedern und Familienangehörigen/Freunden des Betroffenen; ein exakter Ausstiegsplan muss erarbeitet werden, der immer wieder dem Betroffenen Freiräume offen lässt und vor allem auf sein eigenes Urteilsvermögen in entspanntem Zustand setzt.)

1. Um welche ‚Variation‘ handelt es sich bei Steven?
2. Stellt Ideen und Anforderungen an eine „Sektenprävention“ zusammen.

Wellenreiter (SB S. 151)

1. Entwerft kurze Anspielszenen, in denen z. B. Anhänger eines Fan-Clubs, einer geschlossenen Clique oder einer Organisation „ihre Sache“ gegenüber „Normal-Sterblichen“ vertreten, z. B. in der Kneipe, im Zug, auf dem Pausenhof!
2. Wertet die Szenen aus: Wo liegt die Grenze zwischen gesundem Zugehörigkeitsgefühl und ideologischem Absolutheitsanspruch der eigenen Seite?

Der Ausdruck „Gehirnwäsche“ wurde in den 50er Jahren geprägt für politisch-ideologische Umerziehungsversuche durch Folter und Drohung mit physischer Gewalt.

1. Wo liegt der Unterschied zwischen einer „Gehirnwäsche“ und einer Bewusstseinskontrolle mit Hilfe der Psychologie der Sekten? Wieso ist letzteres im religiösen Bereich besonders erfolgreich?
2. Inwiefern ist Erziehung zu Demokratie und Toleranz aktiver Schutz gegen die Anfälligkeit gegenüber totalitären Gruppen?
3. Sollte man Sekten von Staats wegen verbieten?
4. Warum haben Ausstiegsberater, die selbst an Gott glauben und ein spirituelles Leben führen, bei der Beratung von „Sektenopfern“ einen erfolgversprechenderen Ausgangspunkt als bekennende Atheisten?

Wenn Gerechtigkeit und Friede sich küssen

Was weißt du über Afrika? Du erfährst hier aus der Sicht afrikanischer Menschen von einigen Problemen, die diesen Kontinent tief erschüttern: Vom Zusammenprall traditioneller Lebensweisen und moderner Welt, vom Gegensatz zwischen Islam und Christentum, zwischen Arm und Reich und zwischen Jung und Alt.

Wie können diese Probleme gelöst werden? Wie kann Gerechtigkeit zwischen den Menschen wachsen? Wie kann Frieden unter den verfeindeten Gruppen entstehen? Welchen Beitrag können die Religionen dazu leisten? Wie kann Versöhnung gelebt werden? Wie kann in Erfüllung gehen, was der Psalm verheißt, dass sich „Gerechtigkeit und Friede küssen"?

Karte von Afrika

Anhand der Karte könnt ihr aufschreiben, was ihr über die Situation in den einzelnen Ländern wisst (z. B. Geographie, Wirtschaft, Politik, Religion usw.)

Wenn du dieses Kapitel durchgearbeitet hast, solltest du erklären können:

1. welche Probleme den afrikanischen Kontinent und seine Menschen erschüttern;
2. welche Ursachen es dafür gibt;
3. welche Rolle die Religionen dabei spielen;
4. welche Ansätze zur Versöhnung es gibt;
5. was es heißt, wenn „Gerechtigkeit und Friede sich küssen".

Ein so langer Brief (SB S. 153–155)

☑ Ramatoulaye und Aissatou: zwei afrikanische Frauen im Zwiespalt:

	Ramatoulaye	Aissatou
Kultur/Bildung		
Schwarz/weiß		
Tradition/Fortschritt		
Liebe/Ehe/Familie		

Krieger des 21. Jahrhunderts (SB S. 156–158)

☑ 1. (Einzel- oder Gruppenarbeit:) Beschreibt den Konflikt in der Erzählung jeweils aus der Sicht von:
   - Etienne, dem Anführer der „Jungen"
   - dem Fahrer des Lastwagens
   - Abbé Léon, dem Vertreter der „Alten"

2. Ihr könnt ein Streitgespräch zwischen diesen Personen führen. Themen könnten sein:
   - Nahrungsmittelhilfe
   - Alte und Junge
   - Religion

3. Bedenkt dabei, was mit den folgenden Symbolen in der Erzählung angesprochen wird:
   - die Beerdigung
   - der Lebensmitteltransport
   - das Zertreten der Almosen
   - das Vortragekreuz

4. Schlussgespräch:
   Welche Deutung gibt der Titel der Erzählung?

Südafrika nach dem Ende der Apartheid (SB S. 161–163)

☑ 1. Welche Bedeutung hat die Religion im Leben von Nelson Mandela?
2. Was bedeuten Vergebung und Versöhnung jeweils aus der Sicht der Opfer und der Täter?

Das Rad der Lehre – Einblicke in den Buddhismus

Dieses Kapitel nimmt dich auf eine Reise in unbekannte Gegenden mit: Es ist die Welt des Buddhismus. Station für Station führen dich die Texte und Bilder im Schülerband zu wichtigen Abschnitten dieser Religion und geben dir so einige Einblicke. Vor allem die Erzählungen sind Erlebnisberichte, die dir Stimmungen und Erfahrungen von Menschen vermitteln, die sich dem Buddhismus zugewandt haben, für die er *ihre* Religion ist. Wenn du dich mit diesen Texten genauer beschäftigst, dann geben sie dir notwendiges Wissen über diese Religion.

Es gibt den Buddhismus ebenso wenig, wie es das Christentum gibt. Denn ähnlich dem Christentum oder auch dem Islam existieren innerhalb des Buddhismus verschiedene Konfessionen oder Schulen:

- Theravāda (auch Hinayāna genannt)
- Mahayāna
- Vajrayāna

Theravāda meint *„Lehre der Ältesten“*. Diese Lehre ist wohl dem ursprünglichen Buddhismus am ähnlichsten. Das Hauptverbreitungsgebiet des Theravāda liegt in Sri Lanka und Thailand. Mahayāna bedeutet *„Großes Fahrzeug“* – und von dieser Sichtweise wird der Theravāda-Buddhismus auch als *„Hinayana“*, also *„Kleines Fahrzeug“* bezeichnet.

Der Mahayāna-Buddhismus ist vorrangig in China, Japan, Korea und Vietnam zu finden, er zählt die meisten Anhänger. Als Vajrayāna [sprich: Wadschrajana] (*„Diamantenes Fahrzeug“*) wird die Form des Buddhismus in Tibet und der Mongolei bezeichnet. Eigentlich ist der Vajrayāna-Buddhismus aus dem Mahayāna entstanden, er hat aber auch magische Elemente aus der Ursprungsreligion in Tibet und der Mongolei übernommen. Einer der bekanntesten Vertreter des Vajrayāna-Buddhismus ist der Dalai Lama.
Innerhalb dieser drei Konfessionen trifft man wiederum auf verschiedene Schulen und Richtungen (so, wie es evangelische, katholische und orthodoxe Christen gibt und sich z. B. die evangelischen Christen in Lutheraner, Reformierte usw. unterscheiden).

Ankunft im Kloster (SB S. 165)

1. Hast du schon einmal in einem fremden Land oder bei einer anderen Familie gegen Regeln verstoßen?
2. Tragt in Gruppenarbeit zusammen, was für Janwillem und für euch neu in Kyoto und in dem Kloster ist.
3. Der Zen-Meister führt Janwillem vor Augen, dass er wie eine „undichte Tasse“ sei. Wie versteht ihr diese Rede des Zen-Meisters?

Glühende Holzscheite und Zauberkunststück (SB S. 167)

1. Vielleicht probierst du selbst einmal aus, wie es ist nur zwei Minuten lang still zu sitzen und an nichts zu denken: Setz dich gerade auf den Stuhl, die Füße fest auf dem Boden, die Hände auf den Oberschenkeln, schließ die Augen und versuch auf deinen Atem zu hören.
2. Anschließend schreibst du in dein Heft, wie diese kurze Zeit der Stille für dich war: Was hast du wahrgenommen?
3. Das erstaunlichste Kunststück bringt der Meister fertig: „Wenn er schläft, dann schläft er, wenn er isst, dann isst er.“ Buddhisten haben dafür den Begriff der ‚Achtsamkeit‘: Was kann damit gemeint sein? Was ist für dich ‚Achtsamkeit‘?

Das Rad der Lehre (SB S. 169)

1. Lies zunächst die „Lehrpredigt“ Buddhas.
2. Trage dann in dein Heft ein, was Buddha mit den „vier edlen Wahrheiten“ meint.
3. Welcher Weg (Pfad) muss begangen werden, um die vier edlen Wahrheiten zu erkennen? Wie viele Stationen hat dieser Weg, wie heißen sie?
4. Wann hältst du etwas für „wahr“ (z. B. wenn es in der Zeitung steht, wenn es ein Wissenschaftler nachgewiesen hat, wenn du es selbst erfahren hast, wenn ...)?

Erleuchteter oder Betrüger? (SB S. 171)

> 🕮 Wenn ein Mensch etwas tut, dann führt das zu neuen Handlungen bei ihm selbst oder bei einer anderen Person. Dabei ist es aber wichtig, ob diese Taten in guter oder schlechter Absicht geschehen. Diesen Zusammenhang zwischen Tatenfolgen nennt man *Karma*.

☑ 1. Arbeitet in Gruppen die Personen heraus, die in der Geschichte vorkommen.
2. Mit welcher Absicht handeln die jeweiligen Personen?
3. Versucht anhand der beiden ersten Arbeitsaufträge den Begriff Karma genauer zu beschreiben.
4. Könnten die beteiligten Personen auch anders miteinander umgehen und dabei „gutes Karma" erwirken?
5. „Bestimmt werde ich bei meiner nächsten Wiedergeburt das Reich einer Gottheit erlangen", schließt der König. Welchen Zusammenhang könntest du dir zwischen Karma und Wiedergeburt vorstellen?
6. Kennt ihr aus dem christlichen Bereich Anregungen für andere zu sorgen? Vor welchem Hintergrund geschieht das? Welche Konsequenzen hat das für denjenigen, der einem anderen hilft?

Tomo Gésché Rimpotsché (SB S. 173)

Manche von euch werden die Begriffe „Wiedergeburt" oder den Fachbegriff „Reinkarnation" schon einmal gehört haben. „Reinkarnation" kommt aus dem Lateinischen und bedeutet eigentlich „Wiederverkörperung". Am besten bearbeitet ihr den Text im Schülerband zusammen mit „Das neue Jerusalem" (➻ SB S. 138). Dabei können euch folgende Fragen unterstützen:

☑ 1. Wie werden Tod und Sterben in den beiden Texten charakterisiert?
2. Was geschieht nach dem Tod mit den Menschen?
3. Woher wird die Gewissheit genommen, dass ein neues Leben entsteht?
4. Was ist dieses neue Leben? Wie wird es beschrieben?
5. Was glaubst du, was nach dem Tod mit den Menschen geschieht?

Der ungebildete Meister

„Vergib uns unsere Schuld, wie auch wir vergeben unseren Schuldigern" heißt es im Vaterunser, das in der Bergpredigt steht. Dazu hat Thich Nhat Hanh, ein buddhistischer Mönch, u. a. geschrieben: „Wenn man achtsam ist, kann man die vielen Ursachen erkennen, die der Grund dafür waren, dass einem ein anderer Mensch Leid zugefügt hat, und wenn man dies erkennt, entstehen Verzeihen und Nachsicht ganz von selbst."

☑ 1. Schreibe allein für dich selbst auf, wann dir jemand Leid zugefügt hat. Warum konntest du verzeihen/warum konntest du nicht verzeihen? Hat es es dir geholfen, den Grund zu wissen, weshalb dir jemand Leid zugefügt hat /würde es dir helfen den Grund zu wissen, weshalb dir jemand Leid zugefügt hat?
2. Gibt es jemanden, den du um Verzeihung bitten möchtest? Wie möchtest du handeln?

Eine Übung in Achtsamkeit

„Achtsamkeit" ist einer der wichtigsten Begriffe im Buddhismus. Bedeutsam ist auch Buddhas Satz, dass Begehren, Anhaften und Festhalten zu Leiden führt. Wie schwer es sein kann nicht „festzuhalten", könnt ihr mit folgendem kleinen Projekt ausprobieren:

☑ 1. Versucht ein Mandala aus Sand anzufertigen: Nehmt ein quadratisches Brett als Unterlage und zeichnet mit bunten Filzstiften den Grundriss auf. Dann nehmt ihr feinen Sand, den ihr durch kleine Trichter (z. B. von Kosmetikflaschen) rieseln lasst, so dass die Begrenzungen freibleiben. Damit füllt ihr die Flächen des Mandalas von innen nach außen aus.
2. Tragt nun das Mandala an einen anderen Ort und beobachtet, was passiert. (Wenn es dabei in Unordnung gerät, könnt ihr versuchen es zu ‚reparieren'.)
3. Schreibt einzeln auf: Woran hast du gedacht, als du das Mandala gemacht hast? Und was hast du gefühlt, als beim Wegtragen das Mandala (etwas) in Unordnung geriet? Wie gelang der Versuch, das Mandala danach wieder zu ‚reparieren'?
4. Wie versteht ihr den Satz Buddhas: „Begehren, Anhaften und Festhalten ist Leiden?

Mutter Erde

Es gibt sehr unterschiedliche Möglichkeiten, sich der Natur zu nähern: mit Staunen über ihre Schönheiten und Geheimnisse – oder mit Zirkel und Lineal, um sie zu vermessen …
Darauf macht uns der Maler Max Ernst in seinem Bild (➜ SB S. 175) aufmerksam.

➢ Die Menschen der Bibel brachte das Wunder der Natur dazu, Gott für seine Schöpfung zu danken; ebenso wie später Franz von Assisi in seinem Sonnengesang (➜ SB S. 176). Die Liebe zwischen Frau und Mann und zwischen Mensch und Natur beschreibt der chilenische Dichter Pablo Neruda in einem Liebesgedicht. Die mexikanische Malerin Frida Kahlo stellt dasselbe in einem Bild dar, auf dem sie selbst mit ihrem Geliebten, mit Mutter Erde und dem gesamten Kosmos zu sehen ist, verbunden zu einer großen hell-dunklen Einheit (➜ SB S. 176 f.).

➢ Doch bewundern wir die Natur nicht nur, wir leben von ihr, und das heißt auch: auf ihre Kosten. Auf einen behutsamen, scheuen Umgang mit den Ressourcen weist Ernest Hemingway in seiner Erzählung „Der alte Mann und das Meer“ hin, ebenso wie Pablo Picasso mit seinem Bild „Nächtlicher Fischfang in Antibes“ (➜ SB S. 178). Ganz anders ist die Naturausbeutung, die wir heute betreiben: grenzenlos, rücksichtslos, zerstörerisch, wie Ludwig Klages schon 1913 beim Aufkommen der großen Walfangschiffe glasklar analysiert (➜ SB S. 179).

➢ Was tun gegen die Zerstörung, gegen die ökologische Krise? Protestaktionen starten wie Greenpeace? Einfacher leben wie der Amerikaner Henry David Thoreau? Eine neue, umweltfreundliche Technik entwickeln, wie es das Wuppertal-Institut für das neue Jahrtausend vorschlägt? Oder alles zugleich versuchen? Unsere Phantasie, unser Handeln ist erwünscht! (➜ SB S. 179–182)

➢ Im zweiten Teil fragen wir nach dem Menschen. Wer ist der Mensch? Tastend sucht der „Etrusker“ des italienischen Künstlers Michelangelo Pistoletto eine Antwort, scheint sie aber trotz eines Spiegels nicht zu finden (➜ SB S. 183).

➢ Jetzt kehrt sich die anfängliche Frage um: Nicht mehr das Verhältnis des Menschen zur Natur steht zur Debatte, sondern das Verhältnis der Natur zum Menschen, die Frage nach seiner Beschaffenheit und Herkunft. „Du kommst von der Erde und wirst wieder zu Erde werden“, weiß die zweite Schöpfungserzählung der Bibel, ganz ähnlich wie das „Popol Vuh“, die Schöpfungsgeschichte der Maya-Indianer, oder das Porträt des Kaisers Rudolph II. von Giuseppe Arcimboldo (➜ SB S. 184 f.).

➢ Schöne neue Welt, wenn der Mensch sich selbst neu erschaffen will, warnte Aldous Huxley in seiner Zukunftsvision. Im 21. Jahrhundert kann sie vielleicht Wirklichkeit werden … (➜ SB S. 186) „Schöne“ neue Welt auch, wenn Kinder unter den Folgen der Kernkraft leiden, wie der Künstler Bernd Fasching auf einer Bildfolge zum Thema „Atomkraftwerke“ aufzeigt (➜ SB S. 187), oder auch Boris Harbaum, der mit krebskranken Kindern in der Nähe Tschernobyls arbeitet, mit den „Opfern des Fortschritts“ (➜ SB S. 16).

➢ Wie viel ist der Mensch eigentlich wert, jeder Einzelne? Ist nicht jedes Opfer eines zu viel? Taddäus Troll führt in einer satirischen Zusammenstellung vor, wie der „Wert“ eines Menschen heute berechnet wird (➜ SB S. 189). Am Schluss stehen die Menschenrechte, die davon ausgehen, dass jeder Mensch von Geburt an eine unverletzliche Würde besitzt, was die Bibel mit dem Bild ausdrückt, dass der Mensch Ebenbild Gottes ist. Gilt dies wirklich oder werden diese Werte nicht wieder und wieder auf den Kopf gestellt? Das Bild des Künstlers Georg Baselitz kann man aufrecht und kopfüber betrachten (➜ SB S. 190). Wie der Mathematiker und Philosoph Ernst Mach scharfsinnig bemerkte: Sieh an dir hinunter, nimm ein Blatt und male ein Selbstporträt. Dann wirst du bemerken: Deine Füße sind oben!

Was du erklären und beschreiben können solltest, wenn du dieses Kapitel kennen gelernt hast:

1. Unterschiedliche Zugänge zur Natur;
2. Umweltschutzaktionen;
3. Wesen, Wert und Würde des Menschen;
4. Schöpfungserzählungen (u. a. Gen. 1 + 2).

Naturzugänge (SB S. 175)

1. Suche dir aus der Zeichnung drei (nebeneinander liegende) Teil„fenster“ aus, vergrößere sie (Umrisszeichnung oder Fotokopie) und stelle darin drei unterschiedliche „Blicke“ auf die Natur dar.
2. Stellt Bilder in Gruppen zu größeren Collagen zusammen.
3. Vergleicht eure Collagen mit dem Bild „Vox Angelica“ von Max Ernst (➽ SB S. 175).

Umweltschutzaktionen (SB S. 179–182)

Ein Umweltschutz-Preis für die beste Aktion soll vergeben werden: Auf der nächsten Seite und in eurem SpurenLesen (➽ SB S. 179–182) findet ihr sechs Umweltschutzaktionen, die ihr vertreten sollt.

a) Pro Gruppe eine Aktion.
b) Sammelt weitere Infos zur Initiative.
c) Macht eine Info-Seite zu eurer Aktion (Ausstellungsplakat, Prospekt ...)
d) Stellt eure Aktion vor (in der „Wir“-Form).
e) Eine Jury entscheidet.
f) Ergänzt den Wettstreit um weitere Aktionen.
g) Unternehmt eine eigene Aktion.
h) Macht eine Ausstellung oder Veranstaltung zu den Aktionen.

Plastikboykott an Göttinger Schulen

Der Göttinger Stadtschülerrat hat gemeinsam mit der Arbeitsgruppe Umwelt des Max-Planck-Gymnasiums eine spektakuläre „Aktion zur Müllvermeidung" gestartet: 15.000 Göttinger Schülerinnen und Schüler boykottierten eine Woche lang plastikverpackte Milchprodukte ...

(VKR-Materialdienst, nach: HAZ)

Umweltipps für die Schule

- Keine weißen Hefte, sondern Hefte, Blöcke und Ringbucheinlagen aus Umweltschutzpapier (Recyclingpapier) verwenden;
- Frühstück in einer dauerhaften Kunststoffdose mitbringen anstatt in Alu- oder Plastikfolie verpackt (Pausenbrot bleibt frisch, wird nicht zerdrückt);
- Getränke nur in Pfandflaschen kaufen oder selbst von zu Hause mitbringen in einer Aluflasche. Keine Dosen oder Tetrapackgetränke kaufen.

Greenteams

Greenteams sind die Jugendlichengruppen von Greenpeace. Nach jeder spektakulären Aktion hatten die Umweltschützer körbeweise Briefe von Kindern und Jugendlichen erhalten, die mitmachen wollten. Ann-Kathrin aus Schneckenberg schrieb: „Was kann ich tun? Mir geht es gut außer ein paar Kleinigkeiten und diese Kleinigkeiten sind: die Antarktis, die Wale, die Pinguine, Robben und Vögel."

Mittlerweile kümmern sich mehr als 700 Greenteams in ganz Deutschland um diese „Kleinigkeiten". Ihr Motto: Wenn viele kleine Leute an vielen kleinen Orten viele kleine Dinge tun, können sie das Gesicht der Welt verändern.

Der 17-jährige Ingo gründete schon mit 13 Jahren zusammen mit einem Freund eine Greenteam-Gruppe in Weilburg. Diese Gruppe entwickelte unterschiedliche Aktivitäten, etwa die „Food-Coop". Dabei nehmen die Jugendlichen Sammelbestellungen für einen Biobauern auf und bringen die Ware dann einmal pro Woche an die Verbraucher.

(Stern, 28. 4. 92, S. 151 sowie Shell-Jugendstudie 97, S. 239 ff.)

Uferlos

Feuersalamander, Wasseramsel oder Bachneunauge sind selten geworden. Wenn Sie wissen möchten, was der BUND für den Lebensraum Bach tut und wie sie mithelfen können, zerstörte und verbaute Bäche wieder natürlich zu machen, schicken Sie uns bitte diese Anzeige.

BUND

Ein bewegter Lebenslauf – Greenpeace

1971	Greenpeace wird in Vancouver in Kanada gegründet. Erste Aktion gegen Atomwaffenversuche.
1974	Frankreich stellt seine Atomwaffenversuche ein.
1975	Aktionen zum Schutz der Wale beginnen.
ab 1976	Greenpeace weitet seine Aktionen aus, überall entstehen Greenpeace-Gruppen.
1977	Greenpeace kauft ein eigenes Schiff, die Rainbow Warrior.
1985	Der französische Geheimdienst sprengt die Rainbow Warrior in Neuseeland und tötet dabei einen Greenpeace-Fotografen. Die Agenten werden verurteilt.
1995	Im Sommer verhindern Greenpeace-Aktionen und ein Kaufboykott die Versenkung der Shell-Erdölplattform „Brent Spar" in der Nordsee. Im Herbst beginnt Frankreich trotz Greenpeace-Aktionen und weltweiter Proteste eine Serie unterirdischer Atomwaffentests auf dem Mururoa-Atoll in der Südsee.

Menschenbilder

1. Schreibe einen eigenen Text zum Thema „Der Mensch ist …“, male ein (Schau-)Bild, mache eine Collage, eine Grafik …
2. Schreibe die beiden biblischen Erzählungen über die Erschaffung des Menschen in Genesis 1 und 2 in Bildzeichen (Piktogrammen).

Juli Gudehus, Die Schöpfung, Thaur (Kulturverlag Thaur) 1993

Versuch zu einer intergalaktischen Kommunikation

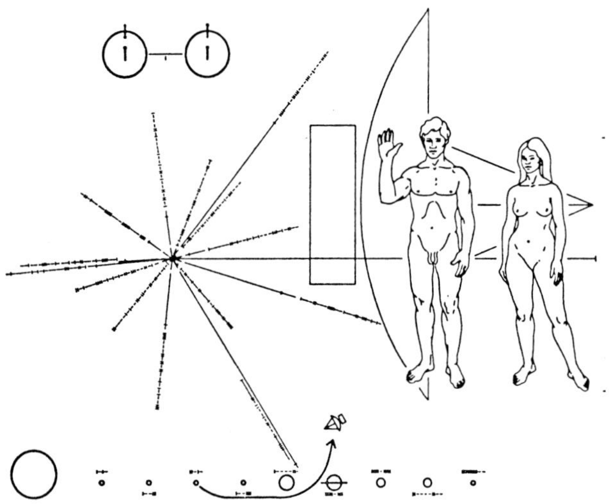

Dieses Bild wurde, auf ein 15 x 23 großes, vergoldetes Aluminiumschild graviert, am 3. März 1972 mit der interplanetarischen Sonde Pionier 10 (und ein Jahr später noch einmal mit Pionier 11) in den Weltraum geschossen, um eventuell Kontakt mit einer fernen Zivilisation aufzunehmen. Dargestellt ist links schematisch ein Teil des Weltalls samt unserer Galaxie, darunter unser Sonnensystem mit der anfänglichen Route von Pionier 10 vorbei am Planeten Saturn, hinaus ins Weltall, rechts Mann und Frau.

Untersucht (in Gruppen), ob das Wesen des Menschen und unserer Welt auf dem Aluminiumschild von „Pionier 10“ richtig und vollständig festgehalten ist. Macht selbst Alternativ-Vorschläge!

Von der Entstehung und der Würde des Menschen

	Maja-Indianer	Genesis 2	Genesis 1	Heutige Biologie
Aus was entstand der Mensch? (Aus welchem Ausgangsstoff?)	Einfache Stoffe aus der Natur	Mann aus Erde Frau aus Rippe	Keine genaue Aussage	Höhere Säugetiere
Durch wen entstand der Mensch? (Durch welche Person[en])?				
Wodurch entstand der Mensch?				
(Durch welche Vorgänge?) Verhältnis zwischen Mensch und Mensch/ Mann und Frau:				
Verhältnis des Menschen zur Natur/zu den Tieren:				
Verhältnis des Menschen zu Gott/zu den Göttern:				
Aussagen über Wesen, Wert und Würde des Menschen:				

Vergleicht unterschiedliche Auffassungen von Herkunft und Wesen des Menschen (s. Tabelle; ergänzt sie um eure eigenen Auffassungen bzw. um Aussagen anderer; macht dazu Interviews!).